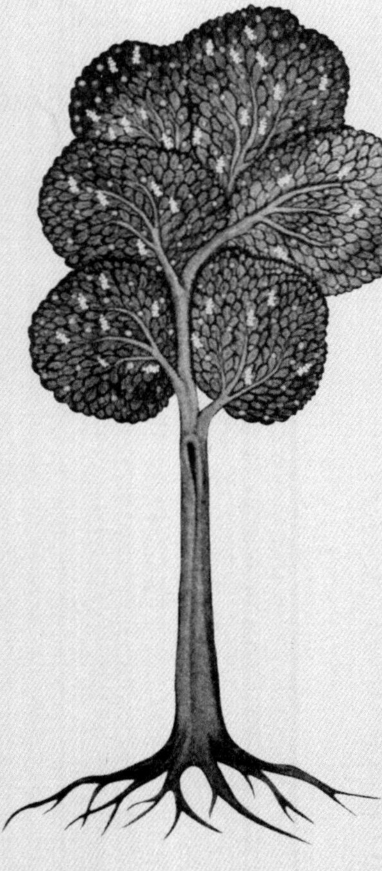

瑜伽之树

The Tree of Yoga

[印度] B.K.S.艾扬格 著◆
余丽娜 译◆
单德兴 校阅◆

当代中国出版社
Contemporary China Publishing House

图书在版编目（CIP）数据

瑜伽之树 /（印）B.K.S. 艾扬格（B.K.S. Iyengar）著；余丽娜译 . --2 版 . -- 北京：当代中国出版社，2017.9 （2023.11 重印）

书名原文：The Tree of Yoga

ISBN 978-7-5154-0802-6

Ⅰ . ①瑜… Ⅱ . ① B… ②余… Ⅲ . ①瑜伽—基本知识 Ⅳ . ① R793.51 ② G883

中国版本图书馆 CIP 数据核字 (2017) 第 205368 号

出 版 人	王　茵
策 划 人	王　冬
责任编辑	袁又文
责任校对	康　莹
封面绘图	满脑袋
封面设计	J.V HUANG
出版发行	当代中国出版社
地　　址	北京市地安门西大街旌勇里 8 号
网　　址	http://www.ddzg.net
邮政编码	100009
编 辑 部	（010）66572156
市 场 部	（010）66572281　66572157
印　　刷	北京润田金辉印刷有限公司
开　　本	880 毫米 × 1230 毫米　1/32
印　　张	6.5 印张　2 插页　插图 10 幅　134 千字
版　　次	2017 年 9 月第 2 版
印　　次	2023 年 11 月第 17 次印刷
定　　价	30.00 元

目录

译序
用身体淬炼灵魂的人

（中国台湾）余丽娜

在欧美，凡是稍微认真练习瑜伽体式的人，大概没有不知道艾扬格（B. K. S. Iyengar）的。在台湾，知道艾扬格的人却不多，有些教瑜伽体式的老师知道他，或者听过“艾扬格瑜伽”（Iyengar Yoga），但是可能并不清楚他对瑜伽体式的贡献。

谁是艾扬格?

艾扬格是印度人，生于1918年，九岁丧父，家道清贫，但是属于婆罗门阶级。他的姐姐十一岁时嫁给也是婆罗门阶级的远亲克里希纳马恰亚（T. Krishnamacharya）。克氏生于1888年，是德高望重受人尊敬的哲学家和梵文学者。他在学术研究告一段落之后，于1915年，花了二十二天走了两百里，在喜马拉雅山区靠近中国西藏、尼泊尔的边界寻找到Shri Ramamohan Brahmachari

的山洞，跟随上师学习七年。印度国王听闻克氏的圣贤之名，邀请他到梵文学院教学，并在王宫设立瑜伽学校，同时走访其他城市传扬瑜伽。他行遍印度，会多种方言，研究各种宗教，并且医术高明。他在 1935 年表演停止心跳与呼吸数分钟而声名大噪。其子要学此术，克氏拒绝，说“于社会无益也”。他认为神通是外道，会偏离、迷惑瑜伽真道，他最主要的任务是揭开瑜伽的神秘，尤其是哲学部分，让瑜伽能够与日常生活联结。

1934 年，克氏要远游，请十六岁的小舅子来陪伴太太。一段时日之后，姐夫回来了，艾扬格向姐夫告别准备回乡与母亲、兄弟姐妹团圆，克氏见艾扬格瘦弱带病（他这时有肺病），要他留下来到瑜伽学校锻炼。这个决定是艾扬格生命的转折点，从此克氏成为他的老师、上师，同时也是严父。

艾扬格和克氏之间和一般传统的东方师徒关系没两样，师父是绝对权威专制的。通常师父示范了体式之后就去忙别的事了，留下弟子自己揣摩、练习。师父叫你做什么你就做什么，做弟子的不能问原因。师父没教的，不可以先学；师父不教的，不可以偷学。艾扬格在自传里对印度当时的师道很不以为然，说为师者经常态度粗暴，不把学生当一回事，学生不能随意、坦率地跟老师说话。他说当时印度人舍命追求政治上的民主，但是在修行、灵性的圈子里却根本没有民主可言。

1936 年，年仅十八岁的艾扬格遵奉师命去教授瑜伽体式。瑜伽在当时的印度毫无价值，并且很受一般人误解。没有人以教授瑜伽为业，即便做一个沿门托钵的苦行僧都比瑜伽老师受人尊敬得多。艾扬格在这种环境下全心全意投入练习与教学，“决心要把鲜为人知、受人误解的瑜伽艺术发扬光大”。

1952 年，名满天下的小提琴家梅纽因（Yehudi Menuhin）到印度表演，找了一位瑜伽老师上了一堂私人课，这位瑜伽老师就是艾扬格。当时艾扬格三十四岁，已经有十六年的教学经验。作为世界顶尖的音乐家，梅纽因身心的敏感度自然超乎常人（而且这时他已经学了一两年的瑜伽），尽管只上了一堂课，立刻知道艾扬格的宝贵。隔两年，梅纽因邀请艾扬格到英国给他个人和几位知名的音乐家上课，艾扬格的名声就此逐渐在伦敦的艺术界传开。

1960 年，梅纽因帮艾扬格在伦敦安排了几场非常成功的瑜伽教学演讲，这个因缘接引了几位全心追求瑜伽练习的年轻人。次年，有六个人开始每周定期聚会，照着艾扬格所教的方法一起练习——这可能就是艾扬格瑜伽的雏形了，其中五个人后来经艾扬格授权，成为西方首批正式的艾扬格瑜伽老师。艾扬格在 20 世纪 60 年代初期已经成为英国的知名人物，英国 BBC 电视台还以“梅纽因与他的上师”为标题采访他。尔后，艾扬格几乎每年都会去英国教学。1966 年，第一本著作《瑜伽之光》出版，该书影响深远，是瑜伽史上的经典之作。这时他在英国的声势如长虹当空，1967 年为英国官方训练瑜伽老师，1969 年，瑜伽正式进入英国成人教育系统。

艾扬格难道没有去美国推广瑜伽吗？其实艾扬格在 1956 年到过美国，为梅纽因的朋友哈妮丝（Rebekah Harkness，标准石油公司女继承人）治疗胃疾，也在纽约和华盛顿首府做了演说和示范。不过艾扬格事后透露这趟美国初航并不愉快，他说：“我发现美国人对三个W有兴趣：财富（wealth）、女人（women）和酒（wine），我很讶异他们的生活方式和我们这么不同！我两次生出回家的念头。”一直到1973年，有心求法的美国人万里迢迢辛苦跋涉到印度，终于在普纳寻到这位十七年前失之交臂的大师父。艾扬格见到来者坦白说出心里的话，他说：“除非有学子登门造访恳请我去，要不然，我是不去美国的。”

从西岸到东岸，艾扬格调教出一批批优秀严谨的美国本土艾扬格瑜伽老师，这些老师不但为美国奠定了安全、确实、有系统的瑜伽体式的练习根基，同时他们一生老实练习的功夫，加上研究、创新的精神，使得三十几年下来，瑜伽在美国这块土地上开出繁茂的花朵，还有丰富的出版成果。2004年，美国《时代周刊》评选艾扬格为“影响美国的100人”。

什么是艾扬格瑜伽？

现在我们可以在牛津字典里找到Iyengar这个字，它的解释是：

> Iyengar：哈他瑜伽的一种，强调正确调整身体的位置，并使用绳子、木砖和各种辅助工具来帮助身体做到正确的姿势。此词源自B. K. S. Iyengar这个人名。Iyengar生于1918年，是印度的瑜伽老师，他研发出这种瑜伽学习的方法。

很简朴的一小段文字叙述，却是一位印度行者一生毫无间断的热情与奉献所淬炼出来的。艾扬格了不起的地方是：他不仅用瑜伽探索了自己的身体和灵魂，还提出一套实际可行的方法、语言，让一般人也能登堂入室。

艾扬格的练习和教学方法，塑造了现代世界的瑜伽练习模式。他使用人体结构学、生理学的语言来描述、指示体式的身体动作。我的老师墨义儿（Donald Moyer）在他的书里回忆 1976 年在印度普纳上课的情形，他说："艾扬格的英文用语独特，他说出来的身体部位名称有些和一般正规的人体结构书本所用的不同。他创造了一些用语来刺激、开发我们对身体觉知的能力，这些用语不是针对看得见的外在身体，而是基于身体的内在经验而发出的……艾扬格在课堂上说话时，我知道他在说什么，因为我的身体反应是这么合乎、对应他的话；可是下了课，听到每一位学员对老师讲的话各有不同的诠释，这时我的领悟似乎消失不见了。最后我发现，不需要想太多——因为他是在跟我们的身体讲话，不是跟我们的头脑。"

调整对位（alignment）——把身体的结构依据重力调整到对的位置——是艾扬格的重要教学原理，是身体达到对称、平衡、能量贯通的关键。例如他在书中（第 93 页）说，"练习体式要有一些常识：肌肉要跟骨骼调整对位，器官要跟联结组织调整对位，身体内部要跟身体外部调整对位，身体后部要跟身体前部调整对位……"眼睛扫过这几句话只要三五秒，头脑好像也能理解。事实上，一般人可能完全掂量不出这几句话的分量；没有几十年的练习功夫，是讲不出这些"常识"的。接下来艾扬格以体式当中的三角式为例，稍稍给这几句话做了一点解释。长年练习瑜伽体式的人，乃至教瑜伽体式的老师看到这一段，或许心里一惊："他说的情形，好像正是我的写照！"

艾扬格开创使用各种辅助工具来辅助、提升练习的品质，现在全世界都看得到他研发的辅助工具。瑜伽教室提供辅助工具逐渐成为趋势，但是辅助工具常常成为教室的形象装饰。除非老师自身在训练的过程里长期使用辅助工具，真正明白、体会辅助工具的功用，否则可能为了讨好学生而不太敢要求学生使用辅助工具，因为学生通常不太情愿使用辅助工具——认为使用辅助工具是表示自己程度低、能力不足。

艾扬格在身体治疗上下了很大的功夫，成功地用瑜伽体式治疗了许多疾病、纾解病患的痛苦，把瑜伽练习带到新的面向，丰富了这门古老的艺术。这些实例引起西方科学界和医学界的瞩目，使得西方科学界逐渐认可瑜伽。当科学界证实瑜伽有助于身心的健康和幸福，一般大众自然很快接受瑜伽，进而引起风潮。

教学风格与人格特质

课堂外的艾扬格温和开朗，但是只要一触及瑜伽，尤其是在教室练习时，他就变成一颗燃烧的火球，熊熊的火焰引爆四周所有的人的潜能。“严厉”是早期许多亲炙艾扬格的西方弟子一辈子忘不掉的印象与经验。他的眼神、言语指令，有火烧电击的能量。美国现今瑜伽大师之一弗兰德（John Friend）回忆 1989 年在印度艾扬格的课堂上，艾扬格朝他吼了一句：“头要往后！”这个不可违逆的命令有着惊人的力量，启动了他全身细胞紧急回应——他的头弯到极点，竟然看到了身后墙壁的踢脚板！此后，弗兰德做同样的姿势再也没有达到这种程度。当然，这种逼人的火焰也有吓坏西方人的时候。有一次艾扬格在大会上演讲教学，要一位学生示范头倒立，学生战战兢兢做出姿势，没几秒钟，就听到艾扬格大吼“下来！”只见艾扬格皱着两道粗眉，一手叉腰，一脚把学生的瑜伽垫子踢开，转向观众毫不留情地说：“心不在当下，完全不在！”

弗兰德感叹，艾扬格的教学风格在21世纪的美国，可能会有打不完的诉讼官司。五十几年来，艾扬格对瑜伽的热情与奉献通过教学，在世界各地发展出深刻的传承。这种心对心、奠基于爱与奉献的传承，使得全世界的艾扬格瑜伽老师在体式的练习与教学上都延续着艾扬格的精神与风格；或者反过来说，会受到艾扬格瑜伽吸引的人，本身就有几分这样的性格。

有人批评艾扬格是“瑜伽运动员”，讽刺艾扬格瑜伽是“家具瑜伽”，认为他的瑜伽只有身体层次，缺少灵性。关于这一点，艾扬格在书里面有费一番唇舌解释。他的弟子也说：“跟艾扬格学习，能让人心灵集中，专注提升，是这个‘练习的品质’让习者有修行上的突破。”说实在，灵不灵性，没有跳进去深入个几年，所说的话是没有凭据的。

小说家呕心沥血写完一部作品，编辑会照惯例说：“请写一篇序吧。”大作家说：“我要表达的尽在小说里了，就看小说吧。”艾扬格一辈子的身体修炼、钻研发明、教学风格、人格特质，书本文字能表达的极其有限。尤其身体练习的艺术以文字沟通，就像星球从遥远的外太空经过一亿光年，仅余一闪一闪充满诗意的星光，供世人遥望、冥想。

翻译缘起

我是典型不爱运动的女性，外表瘦弱、僵硬、神经敏感。在接近四十岁时警觉到自己必须找出一种身体、情绪都耐得住的运动持之以恒地练习，否则越往后日子会越不好过。断断续续寻找、试验之下，终于在千禧年的夏天，开始练习瑜伽体式，那年四十三岁。

第一年练得很高兴，身体、精神都有明显改善：胃口变好、精神活泼愉快。第二年，左边的颈子、肩膀、手臂开始不对劲，平时不痛，一练瑜伽就痛，越认真练越痛，第一年可以做到的动作渐渐都因为越来越强烈的痛楚而不能做了！找了不同的老师都无解，勉强练到第二年底，实在撑不下去了，只好停止。好不容易在中年觅得这么一个情投意合的运动，一心想和它白头偕老，哪知欢喜甜蜜了没多久就因痛苦不得不分手。

2001 年夏天，在纽约的书店随手买了几本瑜伽书，回到台湾读完之后，觉得《新瑜伽：给五十岁以后的你》（*The New Yoga for People Over* 50）这本特别吸引我。整本书呈现了作者苏珊·弗朗辛（Suza Francina）丰沛的耐心、爱心、专业、博学，充满了鼓舞、感人的力量。这样一位让我景仰、心生向往的瑜伽体式老师，却在书中一再推崇、感谢她的老师——艾扬格先生！想必这位艾扬格是位不同凡响的人吧；同时我发现苏珊·弗朗辛是一位艾扬格瑜伽认证的老师。

我在这本书发现了艾扬格和艾扬格瑜伽，并且产生强烈的好奇。弗朗辛的书后附有详细的参考书目，其中一栏专门是有关艾扬格的出版作品，他自己的著作有四本：《调息之光》（*Light on Prāṇāyāma*）、《瑜伽之光》（*Light on Yoga*）、《帕坦伽利瑜伽经之光》（*Light on the Yoga Sūtras of Patañjali*）和《瑜伽之树》（*The Tree of Yoga*）。那时我根本不知道 Prāṇāyāma 是什么意思，更不懂什么是 Yoga Sūtras of Patañjali，就选了书名看起来比较平易近人的另外两本。

拜托先生帮我跟亚马逊网站订购。书很快寄来。拿到书左翻右翻、前翻后翻，真是前所未有的阅读经验：眼前的《瑜伽之光》明明是一整座山的宝藏，在我手中却变成错综复杂、机关处处的"藏宝图"！光是把两百个梵文的体式名称正确对上五百九十二张艾扬格的示范图片，这个基本阅读指认功夫就搞得我眼花缭乱、头昏脑胀。好在我很快发现，它不应该是一本让人三五天阅毕的"读本"，而是一个神奇的磨，让有心修炼的人终年磨之、砺（粗的磨刀石）之、砥（细的磨刀石）之……

相形之下，《瑜伽之树》就亲切多了。不管真懂还是假懂，至少头脑读得津津有味、兴奋不已。就这么遥望着一闪一闪的星光，各种想像在我心中升起：如果能跟随艾扬格瑜伽老师学习，自己的问题一定可以迎刃而解。可是在台湾到哪里去找一位大家听都没听过的艾扬格瑜伽老师呢？那么，何不干脆到印度直接找艾扬格学呢？从来没上过网的我，开始学着在网络上漫游。查到艾扬格的网站不难，资料介绍也不少，确实也有国内外招生的规章，可是读呀读的，一颗火热蹦跳的心渐趋冰凉——要到印度普纳艾扬格中心学习的条件既繁多又严苛，印象最深刻的两项为：申请者必须学习艾扬格瑜伽达八年以上，头倒立至少十分钟！

头倒立！什么是头倒立？好像在外国电影或书报里见过？我虽然学了两年瑜伽体式，却从来没有想过它，也没听过资深的同学练这个姿势，只记得老师在课堂上明白说过："头倒立很危险，国外的瑜伽教室不教这个体式，所以我们不做这个姿势。"

2005 年夏天，随先生到美国加州一年，家里安顿好了以后，想再试试瑜伽的心又浮上来。我在网上发现伯克莱大学旁边有一间瑜伽教室，而且教的正是艾扬格瑜伽！从密密麻麻的课表上选了一堂课，上课前老师问我身体有无异状，我简述自己学习瑜伽的经历，以及左侧肩颈臂的困扰。老师听完，说了一句话："你要自己负责……"这句话让我有些愕然，心里想："我哪知道要怎么负责呀？我就乖乖照着老师的指示去做啊?！我怎么知道怎样会受伤、为什么会受伤?"接下来的一个钟头，学员在老师的指令下忙着折毯子、搬垫子，一会儿这样躺、一会儿那样躺，好像没有做到什么吃力的姿势就下课了。后来我才知道这堂课是修复瑜伽，专门给身心有特殊状况的人，可是当时我心里想：这就是艾扬格瑜伽吗？真叫人失望！还要继续上吗？

……

再试试吧。

我又选了一堂课，堂上的老师照例问我这位新生身体有无异状，同样的话我又讲了一遍，老师听了，说："没关系，等下做的时候我会注意你。"这句话有如定心丸，让我在课堂上放心地跟着老师的指令练习（事后我发现这是初级班的课，差不多符合我当时的体能状态）。下课时，顺手拿了一张广告，回家仔细一读，心跳加速，非常激动——那是这间瑜伽教室 2005 年的"三年进阶研修课程"招生简介，上面详细列出每一年的修学科目、课程内容、要求条件，以及付费方式。就是它！我要的就是这样一套完整的基础训练，它就是我梦寐以求、在台湾找不到的瑜伽学习路径。但是申请进入这个进阶研修课程有一个基本条件——申请人必须练习艾扬格瑜伽两年，且最近半年是在这间瑜伽教室学习的。

不管那么多了，我立刻打电话给这位老师，表明我的想法和渴望，虽然我条件不符，可是我非常非常想要进入这个研修课程。她要我先去上一堂礼拜一的课（后来我才知道那是进阶班的课）。上完课，老师说我的体能还跟得上，但是她得和瑜伽教室的另一位负责人商量。

老师很快给了我好消息，第二天晚上刚好是开学的第二个礼拜，我及时加入了这个课程。到了这个时候，我才觉得自己总算上了路，终于踏出了瑜伽之旅的第一步。这第一步，我整整寻找、等待、走了五年。

接下来的三年，照着健全、不求近功、不贪速成的课程安排，在老师的指导、同学互相砥砺、自己的努力之下，一步一步走下去，一路上充满了兴奋、惊喜、迷惑、困顿、疲累、感恩、虔诚……这么丰富的心得，我当然想与人分享。把艾扬格介绍给台湾的人，是我第一件想做的事。他的《瑜伽之光》中文简体字版在2005年出版，台湾出版社也买下了中文繁体字的版权，只是市面上还没有见到书。《瑜伽之树》虽然是本小书，内容却丰富多样。艾扬格试图把瑜伽的基本知识介绍给西方人，所以读者如果耐心阅读，很快就能了解印度瑜伽修行的梗概。如果你对这一部分目前没有兴趣，可以暂时不看，直接跳到带有自传色彩的篇章，一窥这位瑜伽大师的学思历程；如果你是瑜伽老师或是有心修炼瑜伽的人，那么艾扬格一辈子的练习与教学心得，肯定会激发出你意想不到的火花。

艾扬格没有受过太多西式的体制教育，可以说是个原汁原味的印度人。整本书的内容主要是他在欧洲各国的演讲，虽然经过修润、编辑，但是思想文化、思考逻辑、文字用语仍保留浓浓的印度味。有些地方读者或许会不习惯，我自己在翻译的过程中也多次生出不耐之心，幸好在一次次的阅读、修润中因为逐渐熟悉而渐有领会。总之，我也只是个初学的人，懵懵懂懂，一切还在学习中，借着翻译此书，进一步了解艾扬格在20世纪对瑜伽的热情与奉献。但愿你也能在这本书中发现属于你的一闪一闪的星光，看似微弱，却恰恰足以启动心底那神秘的、勇敢的追寻之旅。

第一部分

瑜伽与人生

瑜伽是一

瑜伽（Yoga）的意思是结合——个体灵魂和宇宙灵性（the Universal Spirit）的结合。这个概念太抽象，不容易理解。为了配合我们能理解的程度，我把瑜伽解释为：身与心以及心与灵的结合。

百分之九十的人都有苦，其苦或在身，或在心，或在灵，瑜伽科学帮助我们把身体当成神殿似的维护，使它和灵魂一样洁净。人的身体是怠惰的，心是活泼的，灵魂是光明的。瑜伽是要把身修炼得和心一样活泼，这样身、心都活泼之后，从而导向光明的灵魂。

古圣先贤告诉我们，有许许多多的路可通达终极目标：照见灵魂。心的科学在瑜伽修行体系里称为帝王瑜伽（rāja - yoga）；

知识之学称为智瑜伽（jñāna - yoga）；责任之学称为实践瑜伽（karma - yoga）；意志之学称为哈他瑜伽（haṭha - yoga）。这些派别名称对古代经典的作者来说，就像钢琴上的琴键，琴键有许许多多，但音乐只有一种。同样的，个人的瑜伽修行验证过程各有独到之处，所用的言词各有不同，但瑜伽却是一体的。就像不同的国家对神有不同的称呼，但神是唯一不二的。

以知性方式修习瑜伽的人说：帝王瑜伽是灵性的，哈他瑜伽则仅止于生理的层次。这个观念大谬不然。就像所有的道路都会通往源头一样，哈他瑜伽也可以使人照见灵魂。那些如此区别哈他瑜伽和帝王瑜伽的人，有谁彻底研究过《哈他瑜伽之光》（*Haṭha Yoga Pradīpikā*）或其他哈他瑜伽的古籍？又有谁彻底研读过帕坦伽利的《瑜伽经》（Patañjali，*Yoga Sūtras*）？这部经典是帝王瑜伽的主要源头。他们可知道《哈他瑜伽之光》的最后一章叫《三摩地篇》（*Samādhi Pada*）？它阐述三摩地的状态，也就是和至高灵性（the Supreme Spirit）合一的状态。而帝王瑜伽的终极目的是什么？不也是三摩地吗？所以两者有何不同？

如果不把haṭha 限于生理的层面，而稍微思考心理的层面，就会更了解哈他瑜伽是生理的还是精神的。ha 是太阳的意思，也就是身体里的太阳，指的是我们的灵魂；ṭha 是月亮的意思，指的是我们的意识。太阳的能量永远不灭，月亮却有消长盈亏；也就是说，我们内在的太阳（灵魂）是永远不灭的，而自灵魂汲取能量的心或意识却像月亮一样，有盈有亏、有起有伏、有上有下，不停地消长、波动。心或意识有如水银，很难掌握。然而当意识和身体统一，意识的能量就稳定；当意识的能量稳定，意识也就稳定，这时灵魂充满整个身体。

《哈他瑜伽之光》说，瑜伽是“稳定息的波动”；帕坦伽利的《瑜伽经》说，瑜伽是“稳定心的波动”。心可以在刹那间多方游走，它的动作非常迅速多变。可是气息在同一个时间里无法到处跑，它只有一条路，不是吸就是呼。它能暂时停在止息状态，但不能像心那样一心多用。《哈他瑜伽之光》说，“控制呼吸，观察息的节奏，可以稳定意识”，这是以控制气息或能量为始；帕坦伽利的《瑜伽经》则以控制意识为先，然而两者在某一点交会，到头来了无差别。通过控制呼吸，就控制了意识；通过控制意识，就规律了呼吸。

就像樟脑燃烧时与火焰合而为一，心也融合于灵魂的火焰，这就是哈他瑜伽的最终结果。经典告诉我们：心与灵的结合是哈他瑜伽，帝王瑜伽也是心与灵的结合，因此两者完全没有差别。所以说，瑜伽是唯一不二。

瑜伽就是结合身心的修炼。对修行的人来说，瑜伽也是结合心与智；对修行更深入的人来说，瑜伽结合了身、心、智与灵。

瑜伽传统上分为八支：持戒（yama，或制戒）、内修（niyama，或内制）、体式（āsana）、呼吸控制（prāṇāyāma）、收摄（pratyāhāra，或制感）、心灵集中（dhāraṇā，或专注）、禅定（dhyāna，或冥想）、三摩地（samādhi）。不熟悉这些术语的人，乍见这一长串名称可能心生畏惧。但假以时日，这些观念和字眼就不会阻碍你了解了。

瑜伽也能以三个层次来看待：外层、内层、核心层，或生理、心理、心灵三方面。如此一来，瑜伽八分支可以分成三部分：持戒和内修这两支属于社会和个人的道德规范与修为；体式、呼吸法和收摄这三支可协助个人转化，以致了解自身；心灵集中、禅定和三摩地这三支不是修炼的方法，而是瑜伽修炼的结果，能让人体验到照见灵魂。

虽然西方人经常认为瑜伽仅止于生理层次，其实它涵盖了身与心、心与灵的层次。这门科学把心从身体的束缚解放出来，迈向灵魂。当心和灵结合，灵就获得自由，从此维持在平和、幸福的状态。关在笼子里的小鸟无法飞翔，一旦笼子打开，小鸟飞出樊笼，它就自由了。同样的，当心从身体的束缚解放出来，栖息在灵魂的怀里，人就自由了。

瑜伽的第一个层次在于所谓的戒律，指出哪些该做，哪些不该做。内修告诉我们该做哪些有益于个人和社会的事；持戒告诉我们该避免哪些有害于个人和社会的事。这些道德规范古今中外皆然，放诸四海皆准。

遵行这些传统戒律之后，再通过身与心、心与灵的相互作用、彼此渗透，致力于个人的发展。这是瑜伽的第二个层次，也就是练习功夫，包括体式、呼吸控制和收摄。体式练习身体的各种不同姿势；呼吸控制是有关呼吸的学问；收摄是守住五官不到处攀缘，让五官往内收摄专注于存在的核心，寂静于内。

根据帕坦伽利在《瑜伽经》里的描述，瑜伽的第三个层次是瑜伽的珍宝，是前五支修炼的成果，也就是：心灵集中、禅定和三摩地。心灵集中是一种全然的专注；禅定是静心冥想；三摩地是瑜伽最高的境界，也就是与宇宙灵性结合的极乐境地。一棵树在成长时得到悉心照顾，时候到了，树自然就会开花结果。瑜伽修行也是如此，只要持之以恒，迟早会绽放出自由、幸福的灵性芬芳。树的精华在于果实，我们修行的精华就在于自由、宁静、平和与幸福。

译 注

本书中“宇宙灵性”、“至高灵性”等词，即指梵文的 Brahman（梵），在印度婆罗门教的思想里，“梵”代表宇宙的最高原理。

“……在奥义书时代，婆罗门教的哲学思潮从祭祀的形式主义，转向自我内心的探求，而归结出‘个人真我’的本质与宇宙本体‘大我’的本质是相同的。‘个人真我’，即是我，是个人的真相，本来面目；‘大我’，即是‘梵’，是宇宙的真相，本来面目。两者之间性质相同，‘我’即是‘梵’，‘小我’即是‘大我’……

“人的终极理想，不在于向外探索，而是在于发现本来就存在的真实面目，即所谓的‘真性’、‘本性’，也就是在探求人的本来面目，而别无其他深奥。因此，其修行的方法，也只是在直接悟入人的本性为‘唯一不二的梵’……”（庄春江，《印度佛教思想史要略》）

瑜伽之树

种一棵树，你得先掘土，清掉石头、杂草，翻松土壤，然后小心翼翼埋下种子，四周掩上松土，这样种子裂开时才不会让泥土的重量压伤。接着细心灌溉，等待发芽、成长。一两天后种子裂开，长出子苗，子苗一分为二，很快冒出枝叶。小苗稳定成长，终于枝繁叶茂。

同样的，真我（the self）这棵树也需要细心照顾。体验过照见灵魂的古圣先哲在瑜伽里发现了它的种子，这种子含有八部分，将来长大成树后，就形成瑜伽修行的八个分支。

树根是持戒，戒有五种：不伤害、真实、不偷盗、节制、不贪婪。持戒是守住身体的五种行动器官——手、脚、口、生殖器官和排泄器官。我们的心和知觉器官自然受到行动器官左右，例如某人有害人之心，若行动器官不行动，就害不成人。因此瑜伽修行者以控制行动器官为修行之始，所以持戒可说是瑜伽之树的根。

其次是树干，与之相应的是内修的原则，也就是纯净、知足、如火的欲望、自我研习、敬奉神。这五种内修的原则控制我们的知觉器官：眼、耳、鼻、舌、皮肤。

树干上有分枝，或长或短、或横或竖、或侧生或交错，这些枝枝椏椏就是体式，这些不同的动作使身体的生理功能和瑜伽修行的心理模式产生和谐。

枝椏上长满了行呼吸作用的叶片，提供能量给整棵树。树叶吸取外面的空气，使之与树的内在部分联结，因此树叶对应于呼吸法。呼吸法是一门呼吸科学，它联结大宇宙和小宇宙，反之亦然。请留意，当我们的肺倒转时，就代表树。呼吸法能促进呼吸系统和循环系统的和谐。

熟练体式和呼吸法有助于修习者的心不执着于身体的接触，这自然而然导致心灵集中与禅定的状态。所有的枝椏都有树皮包覆，没有树皮保护，就会被虫蛀蚀。那层皮保护流动于叶与根之间的能量，所以树皮对应于收摄，它是感官由皮肤往存在核心的内在之旅。

在这内在之旅中，携带能源的树液就是“心灵集中”。心灵集中是专注，把注意集中于存在核心。

树液从树顶叶端连接到树根。在禅定时，就体验到这种从外围到核心的统一感，这时觉察者和被觉察者合而为一。当一棵树健康、能量充沛时，自然会开花，因此禅定即为瑜伽之树的花。

最终，花转变为果实，这就是三摩地。树的精华在果实，瑜伽修行的精华在三摩地之自由、宁静、平和、幸福，这时身、心、灵统一，并融入宇宙灵性。

个人与社会

瑜伽有益于每个人的身体、心理、情绪和灵性的健康和改善，对全人类都有益。这就是为什么人们称瑜伽是普世的修行法。当自身内在统一时，并非就是瑜伽的终点。瑜伽修行者的身、心、感官、智觉和意识训练到某种程度时，就必须生活在世间而行为举止超然其外。这就是所谓的行事善巧，其意义不只是机敏而已。善巧是行为举止不期盼任何好的或不好的结果。瑜伽修行者行事没有善恶之别，全以纯净、圣洁之心为之。

人生哲理和实际人生有很大的出入，如果能在其中取得平衡，你就是务实的哲学家。空谈纯粹的哲学算不上什么大成就，这样的哲学家只是做梦的人。我们必须把哲学带到日常生活里，这样人生的苦乐就有了哲理。我们能真实面对自己的进化与成长，不放弃个人的灵修之路，而同时成功地生活在社会里吗？这是实际的哲学。

瑜伽初始是个人的成长，但是通过个人的成长，社会、群体就会进步。如果有一百个人在练瑜伽，而且个个看来健康、愉快，旁人就会问这些人在做什么。就这样一百、两百、三百，练瑜伽的人数很快增加。过去好像只有我一个人认真练瑜伽，现在看看四周，有多少人在练呀！这就是从个人到群体，从群体到社会。

为什么你想到世上的暴力，为什么你不想想自身内在的暴力？每个人都得自我修炼，因为没有纪律，我们就不可能自由；没有纪律，世界也不可能自由。唯有纪律带来真正的自由。如果你志在健康，你认为没有纪律能达到吗？节制在生活中是首要，这就是为什么瑜伽始于行为规范，这是每一个人都必须修习的。没有纪律的人称不上修行人；有纪律的人才是修行人。健康是修来的；不健康是缺少修炼。

修行生活不能脱离日常生活。相反的，我们必须圆融处世。生活里的种种处境是为了助长，而不是毁坏我们的成长。环境似乎经常不利于个人的生活，但是尽管有人逛妓院，我就不能端端正正过日子吗？或者友人多喝酒，独我不饮，他们请我喝酒，如果我说："不，我没兴趣。"他们会嘲笑。所以我说："好啊，我去，给我果汁，你们喝酒。"这样有何不妥？这表示我了解他们，我与他们同行但不同调。我出入自如，这就是平衡。如果我们能这样处世，就是修行。

个人成长是必要的，瑜伽能成就每一个人。你的身体是世界的缩影，里面有个庞大的国际组织。人体有三百个关节，这表示身体里有三百个组织分子相互关联；如果把体内的动脉、静脉、微血管连接起来，整个血液循环系统长达九万六千米；另外有生物能量流动于一万六千米长的神经系统里；把肺脏平摊开来，有一个网球场那么大；脑有四瓣——这不是很像一个庞大的国际组织吗？瑜伽帮助所有的部位彼此协调，合作无间。瑜伽对治你的良心，瑜伽对治你的意识，瑜伽对治你的智觉，瑜伽对治你的感官，瑜伽对治你的肉体，瑜伽对治你的知觉器官，因此瑜伽是普世的学问。

当你的身、心、灵都健康、和谐了，就会把健康、和谐带给四周的人，把健康、和谐带给世界——你不是脱离世界离群索居，而是在人类大体当中做一个健康的活组织。

东方与西方

有时人会说："印度人的身体、印度人的肌肉或印度人的身体构造跟西方人不一样，所以瑜伽不适合西方人。"难道癌症分英国人的、意大利人的、印度人的，还是癌症都一样？无论印度人还是西方人，人类所受的苦都是相同的，身体的烦恼是相同的，心理的烦恼也是相同的。宣称自己是西方人，仿佛东方人和西方人有所不同，这就像是在说癌症有东方、西方之分。人类的疾病是共通的，而瑜伽就是用来医治那些疾病的。古籍上从未说过瑜伽只供印度人修炼。相反的，帕坦伽利形容瑜伽是全世界的。瑜伽是普世的修行法。正如它有益于个人的整体，它也是为了有益于全人类的身、心、智、灵各个层面。两千五百年前，帕坦伽利没有区分东方、西方，为什么今天我们要这样区分？

也有人跟我说，问题出在饮食——没有吃素不能练瑜伽，而在西方的文化或环境里不可能吃素。这个说法错了。因为我看到许多西方人现在已经改吃素了，因为素食最不杀生。还有，吃素的印度人和吃肉的欧美人身体一样僵硬。虽然印度人盘腿很容易，可是印度人也有很多姿势做不来。别看到印度人盘腿就以为印度人的身体有弹性；他们盘腿盘得那么容易，只是因为他们一辈子坐地板，而西方人一辈子坐椅子。

说到饮食的问题，这完全要看你练瑜伽的目的是什么。帕坦伽利把五种内修分为两类。“纯净”和“知足”属于第一类，是修生理上的健康与心理上的快乐。焚烧欲望以成就灵性的“如火的欲望”、“自我研习”和“敬奉神”则属于第二类。第一类的纯净和知足，能让人享受世间快乐，免除疾病。而如火的欲望、自我研习、敬奉神属于第二类，是所谓的光明瑜伽，能让人达到最高境界，也就是自由，完全脱离身体这个工具，并且与灵魂合而为一。帕坦伽利把这两个阶段分别称为快乐、健康之道和自由、幸福之道。根据帕坦伽利的说法，如果为了健康、快乐，饮食限制不是那么重要。但是如果你要发展灵性健康，就需要调节饮食，以便让波动起伏的心可以安定下来。要怎么收获，便怎么栽。食物会影响心灵，因此为了修行，食物必须有所限制。但是如果你的目标只是健康、快乐，就不需如此。所以问题不在东方或西方，而是你希望自己的灵性修到什么程度。

还有人问我，西方社会的基础是个人主义，那是不是修炼瑜伽的障碍？但全世界的人都是以个人利益为上，这哪是西方独有的现象？瑜伽是要让个人成长，修除生理、情绪、智能、灵性上的缺陷。它是设计来去除波动、烦恼、痛苦、哀伤的。难道这些烦恼会因为文化不同而有所不同？它们是社会的，还是个人的？

所以我说瑜伽是普世的，而不是只给印度人的。有人说自己是西方人，或说自己是东方人，说的当下毛病就乘虚而入，这病根是——划地自限。所以不用着墨国家的不同造成个人之间的差异，就纯粹为了瑜伽而练瑜伽，然后享受它所带来的好处吧。

帕坦伽利在《瑜伽经》第二篇说，无知和骄傲是智能的缺陷，欲望和厌憎是情绪的缺陷，恐惧死亡则是本能的缺陷（《瑜伽经》第二篇 3 ~ 9 节）。借着修炼身、心和意识，习者克服智能的缺陷，让情绪的源头（心）达到平衡，并且在本能上变得强壮。瑜伽达到的快乐，是免于智能、情绪和本能的缺陷。不同的瑜伽经典所诉说的层面各有不同，但说的都是相同的灵修过程。

不要分别，不要说你练的某派瑜伽比较好或比较差。瑜伽是一体的，就像世界是一体的，世人也是一体的。因为你生在意大利，所以你是意大利人；他生在美国，所以他是美国人；我生在印度，所以我是印度人；但是作为人类，我们之间没有不同。瑜伽也一样；许多人也许选择某一条路作为体验自我领悟的关键，其他人则选择另一条路。但是我要说，不同的瑜伽修炼法之间绝对没有不同。

我们发现在许多宗教修行中都有静心冥想和不同的方法来对治人的情绪和欲望。你可能听过禅修，认为它和瑜伽的静坐冥想不同。但静坐冥想不能称为印度静坐、禅修或超觉静坐。静坐冥想就只是静坐冥想。别忘了，佛陀生在印度，也曾学过瑜伽。我在东京时，遇过许多禅师，他们也称我为禅师。这表示我修行的质地和成就跟他们修行的质地和成就是一样的，绝对没有差别。瑜伽修行者（我不说是印度教徒，而是说瑜伽修行者）静坐冥想的本质和禅师的禅修是一样的；禅师和我们一样，都是瑜伽修行者。谈到瑜伽，我们说它是印度六大哲学之一，因此它和印度教有渊源，而禅和佛教有关联，所以你会有不同的宗教意见或宗派嫌隙。但是瑜伽是给全人类的，不是专属于印度人的，这就是帕坦伽利所说的：瑜伽是普世的修行法，不是印度人的修行法，静坐冥想是普世相同的。

流经贵国的河流和流经敝国的河流都灌溉、肥沃了土地，然后全都流入大海，成为一个大洋。同样的，我们都是天地神造的人类，彼此之间没有任何差别，全是一体的。灵修的方法是为了让全世界的人成长、受益，因此不要被不同国家的用语所蒙蔽。它们的本质是相同的，我们要探其精髓，不要为名相所误。

译　注

本书内容主要取材自艾扬格先生于1985～1987年在英国、法国、意大利、西班牙和荷兰各国的演讲，以及1982年在印度马德拉斯的演讲，所以文章里的“你们”针对的通常是西方欧美人士。

生命的四大目标

根据印度的传统，社会分为四种阶级（种姓制度），即婆罗门（祭司）、刹帝利（武士）、吠舍（商人）和首陀罗（苦力）。即使当今种姓制度在社会阶级的划分上似乎消失了，但仍然存在于无形之中，不管我们从事什么工作、有什么样的社会地位，这四个阶级所代表的不同特质仍旧影响着我们。

种姓制度和瑜伽修炼有什么关系呢？初学者必须流汗学习，这是苦力的特质。等到学有所成，用教授瑜伽来表现自己并借以维生，这是商人的心态，代表了商人的特质。接着，他会卷入同行竞争——或许甚至会以骄傲、优越的心态教学，这显现了武士好战的特质。在最后阶段，求道者深入瑜伽精髓，汲取灵性实现的仙露，修炼到炉火纯青的境界，这是瑜伽修行的热情，以这种感觉行动时，他的瑜伽修行到达祭司的层次。

很多事都可以用这种四分法。假设人的寿命是一百岁，我们可以把生命分成连续的四等份，每一等份是二十五年。第一个二十五年接受一般教育和宗教教育；第二个二十五年是在家生活的阶段；第三个二十五年是练习放下家务的准备期；最后一个二十五年放下世间万缘，专心敬奉神。

古圣先贤也明示人生有四大目标，鼓励我们在生命的不同阶段全力以赴。生命的四大目标分别是：学习伦理、道德与社会的责任，赚取世间钱财，追求生活快乐，以及最终的自由或幸福。

没有伦理道德与社会责任的观念，修行是不可能有成就的，我们当在人生的第一个阶段打下修行的基础。

赚取钱财可以让人脱离依赖。不是要获取大财厚利，而是能自养，维持身体健康，心无烦恼。羸弱的身体是病痛和烦恼的温床，不利于修行。在人生的第二个阶段除了赚取财富之外，还要找伴侣过家庭生活。我们在这个阶段尝到世间的爱与快乐，并且为灵性做准备，从友情、慈悲当中发展出普世的感受，以迈向神圣的大爱。所以我们不应该逃避教养下一代以及感化亲友的责任。圣贤从来没有反对结婚、生子，也不把它们视为追求神圣大爱、快乐以及与无上灵魂结合的障碍。

人生第三个阶段是享受生命的美果，其先决条件就是健康的身体，以及平稳、和谐的心。由于身体是灵魂的居所，所以我们应当对待身体如同神殿。人在这个阶段学习从世间之乐脱离出来，往自我实现的道路迈进。

终于，人走到了第四个阶段，也就是要从世俗之乐的樊笼中解脱出来。根据帕坦伽利所言，人只有在没有疾病、烦恼、怀疑、忧虑、懒惰、幻想、软弱、散漫、痛苦、绝望，并且身体安稳、呼吸平顺的情况下，才能得到这种解脱。这也代表摆脱了贫穷、无知与骄傲。在这个阶段的人明白权力、快乐、财富、知识都无法带来自由，而且终究会消失。当人到达这个阶段，他就解脱自在了，并且散发出神圣之美。他从自我实现走向神的实现。人从世界的探索走向神的探索，就结束了人的旅程。

下面几章，我们会看看修炼瑜伽和人生各阶段有什么关系。

孩　童

孩子学瑜伽的方式和成人大不相同。想想成人和孩子的智力发展，想想孩子和成人动作的速度。虽然孩子的智力发展不及成人，可是孩子的眼光有普世的同理心，反倒是成人比较以个人的角度来看事情。同时，孩子的动作比成人快多了。

成人有一大堆情绪问题。小孩子没有太多的情绪，即使有，它的性质也和成人不同。如果我在教室骂了你，你到死都会记住："从印度来的那个男人骂我笨蛋!"可是如果你骂了孩子，半个钟头之后你问他刚才怎么了，孩子会说："我不知道啊!"孩子不高兴的情绪一下子就过去了，成人可能一辈子过不去。

小孩子的动作很快。他们不喜欢单调，凡事喜欢变化、新奇。同一个瑜伽姿势日复一日地讲解，你还是不得要领，可是要一群孩子做，他们几秒钟就做到了，而且做得很好。孩子的心在当下，不会跑到过去、飘到未来。成人的心总是在过去与未来之间飘荡，永远不在当下。这就是为什么教成人得不停地讲解，为的就是要把他们的心思拉回到当下。孩子通过眼睛学得比成人快，讲解太多，孩子就睡着了。但如果我对一群成人简单讲解一下，很快示范一下动作，他们会说“不懂”。教孩子要根据他们的行为，教成人则要根据他们的情绪和环境因素。基于这些原因，孩子和成人必须分开教。要孩子去上成人的瑜伽班是行不通的。即使孩子对瑜伽有兴趣，你把他放到成人班，他会觉得无聊，兴趣就抹煞了。

成人需要静坐冥想；可是如果你叫孩子静坐冥想，他马上就睡着了。你可能上床后要花很长的时间才睡得着，很多人还得靠安眠药，可是小孩子从来不会有这种情形。孩子可以非常活泼、好动，可是也会马上没劲。所以如果你教学的步调缓慢，孩子就觉得无聊了。

有人说小孩子很难专心，其实孩子的专注力很强，根本没有问题，问题在于你能不能吸引他们。如果我用成人的观点跟孩子说话，他们就没办法专注在我讲的东西上，我得知道怎么说孩子才听得懂。我说孩子听得懂的话，而不是用我的话或你的话来说。这样孩子自然而然就专心了，因为他们听懂了，觉得有趣。首先我得用孩子的语言说出内容，让他们能开始了解，这样身为老师的我才能讲解我的新观点。除非我能先吸引孩子，否则没办法教任何新东西。

我举个例子。几年前，普纳有所学校请我去教一群十到十六岁的孩子。这所学校的名声不佳，即便到现在还是没有老师愿意去任教，因为学生太坏了，老师根本管不动。当时学校问我能不能教，我就去了。

第一天一上课我就明白状况了，整个教室闹哄哄的，学生看我是新老师，以为可以作弄我，而我也就让他们作弄。如果我一开始就严格管束，第二天教室里就会一个学生也没有，因为他们会翘课，根本就不来上课。看着学生作怪，我说："你们很会搞怪喔，来呀，别客气。"就在我说"再吵一点"的当儿，我就赢得了他们的心。如果我叫他们"不要吵"，后面就走不下去了。这叫作心理学。我研究了孩子的心理，说："你们应该再吵大声一点，这样不够看!"孩子听了吓一大跳，我就开始上课。

孩子都是这样的，接着他们就乱丢纸团，打到老师，也到处打到学生。我就观察是哪几个孩子带头的，把他们集中在一起，教课时，我把这些捣蛋的孩子叫到台上当纠察员，让他们做班上的头头。我说："我做瑜伽姿势，你们站在台上，我教学时，你们就跟着我做一样的姿势，所以你们都是师父。"

我赢得了孩子的心，很多其他学校的老师来观摩。他们搞不懂为什么瑜伽课没有吵闹声。他们认为瑜伽课应该比别的课更吵闹才对呀，因为它是选修课嘛。大家都问我是怎么管束这群孩子的。我说："我没有管，我什么也没说，我有时跟他们玩玩，就这样而已。"这是儿童心理学。我在身体上、心理上接近他们的程度，然后带领他们。如果我跟孩子说："别吵、专心！"那我一点机会也没有。我得用点心机，先说："来嘛，来嘛，再吵一点！"然后说："我喜欢你们，因为你们鬼灵精怪，聪明得不得了。"学生是这样开始喜欢老师的。

孩子观察我们的眼睛，所以我们的眼睛得像孩子般地敏锐，这样他们就专注了。孩子受制于他们的眼睛，不是言语。你得用眼睛说话，才能吸引孩子，让孩子专注。

爱与婚姻

有个快当爸爸的学生问我："准爸爸应该怎么对待太太？"我回答："你要怎么当准爸爸？毕竟你在当爸爸之前就已经是丈夫了。你是你太太的丈夫，不是吗？所以你就做丈夫该做的——做你太太真正的生活伴侣。"

我当然知道夫妻有了小孩之后，原先两个人分享的爱得分给三个人，这时除了照旧做真正的丈夫、照旧维持同样的爱与感情之外，没有什么金玉良言派得上用场。孩子不正是两个人爱的结果吗？孩子就像花，夫妻有了爱情的花朵，应该是更快乐的。

夫妻之间不需因为有了孩子而改变什么。我是六个孩子的父亲，我对妻子的情爱一直到她去世都未曾消失。我没爱过其他女人，虽然很多女人对我有意思，我都不为所动。我也劝勉这位准爸爸要不为所动，坚守夫道。这是我的劝勉，同样也适用于妻子和准妈妈。

现在，你能区分灵性之爱与感官之爱吗？夫妻在灵性结合之下所生的孩子是神圣的，这纯洁的花朵出自纯洁的爱与纯洁的结合。但是生了第一个孩子之后，夫妻还能保持初始那种纯洁的爱吗？这种爱若能维续一生，就是神圣的爱。若是改变了，夫或妻若是心向他人，就像泼出去的水再也收不回来，这时你要弄明白两人之间究竟是真正的灵性之爱还是感官之爱。这得亲身体验，才知冷暖。每个人都可以感受到两人之间是感官之乐，还是灵性的神圣结合之爱。我虽然到过西方四五十次，但是仍然不明白女人说："我爱我的丈夫。"两三年之后却说："喔，我真恨我的丈夫！"或是男人说："我从前爱我的太太，可是现在变了。"这种问题在西方国家很严重，可是我们印度好像没有这些问题。我们结婚后就快快乐乐过一辈子，我们不庆祝金婚、银婚，因为我们在结婚时就发誓两个人要互谅、互解，相守一辈子。

瑜伽哲学里有个道德观念一直饱受误解，就是持戒中的"节制"（brahmacharya）。brahmacharya 在字典里有"独身生活、宗教研习、自我克制、贞节"的意思。所有的瑜伽文献都说：流失精液导向死亡，守住精液则保住生命。帕坦伽利也强调克制身体（身）、言语（口）、心念（意）的重要。他解释，固守精液可以产生精力、能量、力量、勇气，以及长生不老，所以他指示修行者通过意志的专注努力固守它。然而，"节制"在瑜伽哲学里不单单指过独身生活。印度古代的瑜伽修行者和圣哲几乎都是结婚有家庭的，例如圣哲婆吒（Vasiṣṭha）有一百个孩子，可是世人仍视他为遵行节制戒律的人，因为他不是只追求性愉悦。因此“节制”不是负面的观念，不是强迫的苦行，也不是禁令。事实上，有妻子的圣哲会依据星象来决定行房的吉日，以期后裔正直有灵性。这种规矩也可视为“节制”的一部分。

根据桑卡拉查耶（Śrī Ādi Śankarāchārya）的说法，遵行节制戒律的人精通吠陀经典，时时刻刻与其存在的核心联结，所以他在每个人身上都看得到神性。因此结了婚的男女在遵行“节制”这条戒律时，不是放纵性，而是要节制。

如今，在自由的名号下，每个人的行为都无拘无束。然而无拘无束并不是真正的自由。瑜伽修行里的五种戒律是社会伦理的基础。每个人都要遵守社会里的某种纪律，只有有纪律的自由才是真自由。

对我来说，“节制”是快乐的婚姻生活，因为结了婚的男女学着用脑、用心去爱伴侣；而那些所谓的独身的修行人，自诩贞节禁欲，这种人可能谁也不爱，只会用一双色眼盯着眼前的男人或女人。

家庭生活

世人有时问我："可不可能修炼瑜伽，同时过着正常的家庭生活？"难道眼前的我不足以成为你的答案吗？我这样说，听起来有一点儿自以为是。请不要误会，容我慢慢解释。许多在印度和欧洲的行者（swami）和老师都有供养者，而我一生从来没受人赞助，因为我是个普通的在家人。如果我穿上飘逸的长袍，人家就会视我为行者，但是如果我穿得像其他人一样，就只是艾扬格先生（Mr. Iyengar）。

早期有很多人劝我做个苦行僧，我说："不要，我要结婚，我要看看这世界的挣扎、变动，我要修炼。"所以现在的我是个身经百战的战士。我有六个孩子，照样修炼瑜伽，没有回避该负的责任。我亲眼见证了人生，却没有陷入其中。我现在在这里，讲课、帮助别人，但可以在瞬间完全跳脱这一切。这就是瑜伽赋予我的，所以我很感谢这门永恒的艺术及不朽的学问。

我刚开始教瑜伽时，很少人知道瑜伽是什么，我得要求别人给我一餐饭来抵学费。有时我饿着肚子练瑜伽，一连几天只喝自来水度日。等到赚了一点点钱，我经常以面包、茶水果腹，因为那是当时印度最便宜的食物。我结婚时，根本没有能力照顾妻子。我内心深处暗想："我自己受苦不说，现在还让妻子跟着我受苦。"有个学生给了我一个煤油炉，另一个学生给我煤油。我只买了一个锅、两个盘子凑合着用。妻子用锅煮好了饭，把饭盛到盘子里，再用同一个锅煮扁豆。这就是我早期的生活。我从那种日子走过来，一步一步挣扎过来，不仅要养自己、妻子、孩子，同时要发展这门在20世纪30年代被视为毫无价值、即使在印度也饱受误解的瑜伽。

几十年来，尽管有各种家庭责任在身，我从来没有中断过瑜伽练习，单单为了一个原因，你可以称之为感恩。我能提升到今天这种程度，全靠练习瑜伽体式。在20世纪30年代，我把瑜伽当作身体运动来教，不知道自己该教什么、不该教什么。但是抱着出人头地的决心，我要把这门鲜为人知、受人误解的瑜伽艺术发扬光大，让人尊敬。

我向帕坦伽利祈祷，是这位瑜伽之神造就了今天的我。我是个笨学生，在学校读书时功课甚至不及格，连中学都没毕业。这样一个没受教育的孩子，因着瑜伽接触到各行各业的人，并且发现了世界。我的英文是从跟人交往中学来的。我持续练习瑜伽，但身边的人一定要我教瑜伽。那时我只知道两件事：怎么练瑜伽和怎么教瑜伽。无论是在练习或教人，我都能以内在最专注的精神来表现体式的外在美感。除此之外，我什么也不懂。

我既没有疏忽自己的练习，也没有忽略家庭。一般人的毛病是痴心妄想，看到我演练体式之后也想做出这些姿势，殊不知我已经练了五十多年，而你才刚开始。这种妄想或操之过急的心态会出毛病——身体生病或精神出岔。所以请把瑜伽练习视为生活的一部分，让它在你的日常生活里占有一席之地。

我说过，自我实现有其巅峰，最终的目标是照见灵魂。如果一个人看不到目标，就不会去做那件事。我们能达到无限，但必须运用手边有限的方法。凡事偶尔为之，效果也只是偶尔出现。如果你只是偶尔练练瑜伽，就不能指望维持智觉的灵敏力，以及迈向终极目标所需要的完善成果。你必须培养出某种纪律，这样才能维持具有创造力的敏感度。最好是每天固定练习，以维持成果的品质，而不是想练的时候才练。练习若是不规律，还是会有效，但品质不会那么好。

若是你能在日常生活中固定练习，时候到了，神圣的力量自然就会发挥作用。当神圣的恩典降临，就体验它，并且继续练习。如果神圣的恩典今天没有降临，也许二十年后降临。就算一辈子都不降临，还是继续练习——至少你得到了健康和快乐；有了健康和快乐，这本身就是神圣的恩典。

心里不要想着自己应该有些什么特殊的东西要秀给别人看。今天你把种子埋在土里，然后说：“十天之内我要看到果子。”可能吗？时候到了自然就有果子，不是吗？到了这棵树该结果子的时候，果子就出来了。尽管你不停地念：“我要果子，我要果子！”果子也不会提早出现。但就在你以为这棵树根本不会结果子时，突然就看到果子长出来了。果子必须自然而然地出来，没有办法造作。所以，老实练习吧。有成果也罢，没成果也罢，你就持续练习吧。那么，即使有家庭生活和家庭责任，都不成问题。

如果我是苦行僧，我可能会说：“你们应当全都成为苦行僧，舍离家庭生活，专心求道。”苦行僧不了解在家人的生活，所以他很容易说：“离开你的家庭，离婚吧，跟我来修行。”当今有很多人投入瑜伽修炼而忘了对孩子、配偶的责任。这不是瑜伽修行者的态度，而是狂热者的态度。古印度的瑜伽修行者是在家人，在亲人、子女围绕的家居生活中修炼到瑜伽的极致。我自己是个有家室的人，我的看法是，“你怎么可以抛弃家庭责任？”你必须找出自己的局限。这是瑜伽的教导：首先明白自己的局限，然后从局限处修炼。这样即使你有十个、十五个小孩，都不会是你灵性发展的障碍。

老　年

练瑜伽永远不嫌迟。如果人老了就不适合练瑜伽，那我早该停止了。为什么我现在还要练？许多印度瑜伽修行者在达到某种成就之后，就说自己达到了三摩地，所以不需要再修炼了。但我到现在都没这么说过。为什么？因为学习本身就是快乐。而且练瑜伽可以得到很多快乐。不过我练瑜伽不是为了快乐！早年，快乐是练习的目标；现在，快乐只是附带的。我们锻炼出来的智觉灵敏力不能失去，这就是要继续练习的原因。

如果你有一把刀却不用，它会怎么样？会生锈，对不对？如果你想继续用它，就必须定期磨刀，因为定期磨刀，才能永葆锐利。同样的，体验过一次三摩地并不保证永远能维持警醒觉知。

你怎么能说自己不需练习就能维持三摩地的境界？你可能会忘记，而故态复萌，回到享乐的旧生活。舞者、音乐家没有经年的练习，能有精彩的演出吗？瑜伽修行者也一样。虽然一个人可能曾经达到最高境界，可是一旦认为自己达到目标，不需要修炼了，当下就变得不稳定。为了维持稳定，必须继续修炼。灵敏来自稳定，必须规律地修炼才能维持。

你可能五六十岁了，心里自问现在练瑜伽是不是太迟了。心里一边说："我要练。"一边则是犹豫不决。为什么会犹豫？或许是因为害怕。为什么会害怕？心玩着三种花样：一个是想做，一个是犹豫，一个是害怕。同样一颗心造成这三种状态，就像同一个树干长出许多枝桠。同样一颗心，内容却互相矛盾。而我们的记忆也在耍花样，冲动回应，不给理智一个思考的机会。

为什么老男人喜欢性？为什么他心里一点儿也不认为自己老了？他看见年轻女孩仍然会心猿意马，尽管生理上可能不行了。他是什么心态？他想占有这个女孩，不是吗？可是要他练点瑜伽，或做点什么来维护身体健康，他会说："唉，我太老了。"所以心能创造，也能摧毁。心一边在成就你，一边在毁掉你。你一定要叫摧毁的心闭嘴——这样你就会学习。

我们总是沉迷于不好的事。老，不算坏事，而算是一桩好事，经常带给我惊喜。我认为我们应当沉迷于好事！你口里说心胜于物，请问你在什么事情上真正这么做？我们得潜入其中。那些明白生与死的人知道个中奥秘。我们既不是游在水上，也不是沉在水底，而是在两者之间。生是游，死是沉。如果你知道这两样，就没有恐惧。就是因为我们不想知道这些，才会恐惧。为什么我不欢欢喜喜面对死亡？恐惧告诉你：“等你老了，疾病和痛苦加剧。”你的心告诉你：“应该早几年开始做瑜伽，或者年轻时不该中断，当时应该继续练瑜伽。”现在你说：“自己很老了，恐怕太迟了。”所以你就犹豫。最好是马上开始，开始之后就要维持规律的练习。

人到了某个年纪，身体确实开始衰退。如果你什么也不做，原来血液循环良好的部位现在都得不到血液的供给了。通过练习瑜伽体式，四肢和身体的深处可以得到血液的滋养，这样细胞得以维持健康。可是如果你说：“不行了，我老了。”血液循环自然而然就减弱了。天不下雨，就有干旱、饥荒；不练瑜伽，不灌溉身体，那么等到身体干旱、饥荒，有了治不好的病，就只能接受，准备死亡。

为什么你在有能力灌溉身体时却任其干涸？如果一点儿灌溉的能力也没有，那另当别论。但是只要可能灌溉，当然应该去做。不这么做只是让恶势力滋长，防卫力消退。疾病是恶势力，内在能量是防卫力。随着年龄增长，人的防卫力减弱，恶势力增强，所以疾病进入我们的系统。练瑜伽的身体就像有防卫力的堡垒，疾病这些恶势力就不会由皮肤进入身体。两者之间你愿意选哪一种？瑜伽帮助我们把防卫力维持在最佳状态，这就是大家认知的健康。

有些人说了很多练瑜伽的危险，有受伤的风险。但是就算走在路上，不小心的话也会发生意外，难道你就劝人不要走路？有人死在床上，那么在床上睡觉也很危险啰？

我瑜伽练了五十多年，在全球五大洲教过千千万万的人。可悲的是，有人学了一些皮毛，就当起所谓的瑜伽老师。问题不在瑜伽这门学问，问题出在老师没有经验，还有就是学生没有耐心。如果有人不能站就急着要走，就会摔伤腿，瑜伽也是一样。尤其是西方人，他们最想做莲花坐（双腿盘坐）这个姿势。他们说："我想我做得到！"不幸的是，想的是头脑，做的却是膝盖！如果你不了解膝盖的智慧，强迫膝盖听脑袋的，那么膝盖就会受伤。但是如果你了解膝盖的僵硬和灵活，逐渐去除僵硬，增加灵活，那就一点危险也没有。练瑜伽如果出差错，那不是瑜伽的错，而是练习者急功近利所致。

所以人人都可以练瑜伽。比利时皇后在八十六岁学头立，什么差错也没有。我希望大家不要误解我的意思。我是说：你能练瑜伽，但是要谨慎，要知道自己的能力。如果你想要模仿我，当然会受伤，因为我已经练了半个世纪了，你想达到我的程度得慢慢来。瑜伽是急不来的。

死　亡

死亡对瑜伽修行者来说不重要，他不在意死期，死后归向何处也无关紧要，他只关心生命——如何利用自己的生命为人类谋福祉。在人生中经历过各式各样的苦痛，也学到如何超脱痛苦之后，他修得了慈悲，帮助世人，并且维持自身的纯净与神圣。除此之外，瑜伽修行者别无所求。

如果我们都修到这种境界，那么我们的想法和行为就没有差别，世界老早老早之前就和平了。可是，我们的身、心、道德、灵性都是破碎的。印度思想认知到每个人的层次不同。我们从无始以来便存在，每个人过去生修炼的成就有快有慢，造成今生的差异。新生命是从过去生中诞生的种子，反映了过去生的灵修程度。

一般印度人相信修炼，认为生命会越修越好。人好比艺术家，想要改善生命品质，希望未来比现在更好。瑜伽修行者也知道自己必须修炼精进，他在思想、行为上努力修炼的同时，欢喜接受死亡，相信再生。种子撒下，植物就会长大，植物成熟就会迸出新的种子，这样又有了下一轮的作物和收成。瑜伽修行者就这样修炼他的生命品质，以便生出好种子，下一辈子可能带来灵性的收获。

以上所说的是我的宗教对死亡与再生的说法。你的宗教可能有不同的说法。我的宗教说再生是可能的。我们不该嘲笑彼此的信仰。重点是，活在当下，认清自己。常人无法克服对死亡的恐惧，唯有瑜伽修行者能无惧死亡——可不是像你我这种平凡的瑜伽修行者！你我的修行功夫还只是皮毛而已。

信　心

有时世人会问我："练瑜伽的人需不需要信神？"我的回答很简单："如果你不信神，你相信自己的存在吗？由于你相信自身的存在，这意味着你想要提升自己，改善自己的生命。那就这样去做吧，或许这会引领你看到更高的光明。所以你不需要信神，但是你得信自己。"

你信自己吗？你信自身的存在吗？你在这儿吗，还是不在？你相信自己是存在的吗？还是相信自己的人生只是一场梦？正是这种活着的经验让你希望活出更好的自己。那是信心的神圣火花，其余的一切都从那而来。

相信和信心有很大的差别。我也许相信耶稣所言，但不见得会跟随他。小时候我深受肺结核所苦，后来因为练瑜伽而获得健康。那时我不相信瑜伽会治好我的病，结果瑜伽却治好了我的病。这个经验给了我信心。信心不是相信，它超过相信。你也许相信某件事，但不会去做。信心却是你的亲身体验，无法等闲视之。如果你能忽略，那就不是信心。相信是客观的——你可以接受，也可以不当一回事。信心却是主观的——你无法置之不理。

希望你了解我说“信神是次要的”这句话的意思。你存在着，这个事实是最重要的，不是吗？你活着，就是活生生的例子。而且因为你活着，所以想要进步，想要比现在更好。这个强力维他命能让你往前进。

你存在着，这件事本身就是信心。你不是“相信”自己是活着的，你的存在即是信心——你活着。可是你为什么活着？为了成为更好的人，否则不如死了算了。让我看你去死啊！去跳海啊！为什么你不想跳？因为你要活。为什么？这就是你必须找出的答案。那是信心。

第二部分

瑜伽之树

努力、觉知与喜悦

一个是在可能的范围内尽量地伸展，另一个是超过极限，由于努力过度造成身体不当紧绷——你做瑜伽时，能找出这中间微妙的平衡吗？

就在你过度伸展某个部位，以期做到理想的动作时，有没有注意到自己忽略了身体其他的部位？这种状况搅乱了身体，造成身体颤动。树根如果弱小，整棵树就不可能强壮。假设你在做头倒立，努力伸展两腿以维持住姿势，却让颈部的肌肉松弛不出力，或是手肘没有紧紧着地，所以恐惧来了，你摇摇欲坠，左右摇晃，怎么会这样？这是因为强壮的肌肉想要主导姿势，软弱的肌肉则屈服了。因此你在做这个姿势时，必须从根部到顶部维持单一完整的伸展，不能让任何部位松垮下来。你在伸展双腿的时候，必须送个警讯给手臂："我正在伸展腿，所以你们不可失去专注！"这是觉知。就是因为我们失去觉知，而且注意力是局部的，所以不知道自己是否掌握了全身。

你可能因为把局部的注意力集中在"想做好姿势"，而失去了练瑜伽的好处。你专注在哪儿？你的注意力集中在"想做好姿势"，但是从哪儿到哪儿呢？困难就此产生。集中在一个点上是专注；同时集中在所有的点上是禅定。禅定既是离心的，也是向心的。专注时，你想要集中在一个点上，以致其他的点失去了潜能。可是如果你把专注力从伸展的部位扩展到身体所有的部位，原先伸展的部位仍不失去专注力，那么你既不失去姿势的内在动作，也能做好外在的姿态，这个状态告诉你什么是禅定。专注有一个焦点；禅定则无焦点。这就是秘诀所在。

专注时，由于注意力集中在身体的某些部位，很容易就忽略了其他的部位。这就是为什么你身体的某些部位会痛，因为那些没有注意到的肌肉失去力量，都垮掉了，可是你不知道自己让这些肌肉垮下来了，因为这些瘫垮的肌肉正是你暂时失去觉知的一群肌肉。练瑜伽时，有件事你们一定要知道：最弱的部位是动作的根源[①]。

所有的瑜伽姿势都有两个要素：方向感和重心。许多人没有考虑到方向感，然而每个姿势都要维持方向感和重心。要维持重心，所有的肌肉必须彼此调整对位[②]。

如果某些肌肉过度伸展，重心也就改变了。或许你不够敏感，不能觉察自己身体的内在动作。"不够敏感"的意思是说，身体有些部位是迟钝的，没有觉知的能力，而会发生疼痛的地方就是这些部位。你可能有这样的印象：在做某个姿势的时候身体并不觉得痛，事后才觉得痛。为什么做的时候你不觉得痛？

以坐姿前弯为例，通常是做完后荐椎（骶骨）不舒服。如果你有这种困扰，下次观察自己的姿势，你是一条腿贴着地板，另一条腿那边的臀部却稍稍离开了地板，一边的荐髂关节肌肉向外侧伸展，另一边却是内侧的荐髂关节肌肉在伸展。那是因为一边的肌肉敏感，而另一边的肌肉不敏感，两条腿各自依照自己的记忆和智能来动作。

所有这些你都能觉知到吗？可能没有，因为你在姿势中并没有禅定。你只是做姿势，却没有反省姿势。你集中注意力，想做好这个姿势，你想做出最好的样子，却只集中在一边。这就是一般所谓的专注，不是禅定。你必须把觉知的光从那一边照过来，也罩住这一边。练瑜伽就应该如此。

如果你有任何困扰，必须在姿势中观察到底是怎么一回事。有调整对位吗？还是没有？可能你伸展了肝，却压迫到胃，或是伸展了胃，却压迫到肝。你的老师也能观察到这种情形，碰一下你身体的相关部位，提醒你伸展肝或胃，让肝、胃得到同等的伸展。你发现稍稍调整一下，身体里的器官就都在对的位置上了。

练习时，你会发现身体里有一部分是强猛有力的，另一部分却不然。之所以强猛，是因为那个部位的细胞过度努力；而之所以不强猛，是因为那个部位的细胞快死了。我在细胞死寂的部位碰触一下，那儿的细胞就会活络一点，重新有了生命。我用碰触

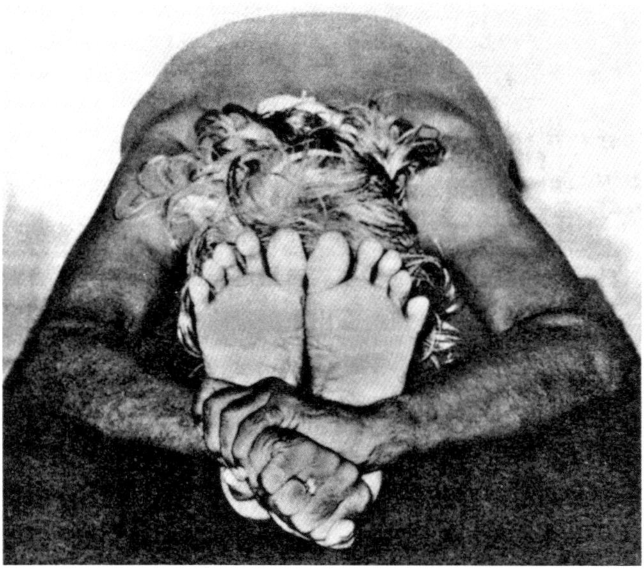

的方法来调整、激发学生身上死寂的细胞，但这种创意的调整方式有些人认为很暴力，说我是一个粗暴、急躁的老师！

我教学时的碰触和按摩的碰触不一样，它比按摩有用，是自动的调整，按摩则完全没有这种功能。瑜伽里的这种碰触的效果是长久的，因为它会让学生自主地明白自己身体内部发生的变化。按摩没有这种功能，你花了力气，得到的效果只是暂时的。原理一样，但是没有你想要的效果。

你不要把按摩和瑜伽混在一起。如果你瑜伽练得不错，那么去试一下按摩，看看隔天会怎么样。你会剩下半条命！按摩会让人放松，可那是强迫性的放松，是靠外力操控而来。瑜伽是伸展，伸展让身体自由而自行放松。这是自然的放松。

我们回到“努力”这个议题。你观察初学者练瑜伽的那股努力劲儿，然后继续观察逐渐进步中的自己是怎么努力的，就会发现自己练瑜伽愈来愈不费力，可是练出来的体式愈来愈有质感。身体不再那么费力辛苦，成果却增加了。

你练瑜伽的时候，身体可能会因为姿势不正确而感到不舒服，那么你就得学习，并且彻底了解原委。你必须在了解和观察上下功夫——为什么这个时刻我会痛？为什么另一个时刻或另一个动作就不会痛？我这个部位该怎么做？那个部位该怎么做？要怎么做才不会痛？为什么我感觉到这种压迫感？为什么这一边痛？这一边的肌肉是怎么动的？另一边的肌肉是怎么动的？

你应该不停地分析，经由分析你就会慢慢明白。从做中分析，是练瑜伽的必要功课。再以练习坐姿前弯之后不舒服这件事为例。你在练习之后感觉不舒服，其实在你练习的时候肌肉就已经传递信息给你了。为什么你当时感受不到？在你做姿势的时候，身体的肌肉纤维、肌肉、神经、皮肤传递出各种信息，你得明白这些信息，这样才能学到东西。今天的经验明天分析，这种做法不够好，会错失良机。

分析和实验必须同时并进，第二天练习时你得再思索——“我是在做旧姿势吗？还是今天有新的感受？我能把这个新的感受再扩大一点吗？如果不能，是哪里不对劲？”

在做中分析，是练习的唯一指南。你在尝试与错误中进步。在不断的尝试中，错误渐渐减少，疑惑也慢慢递减。疑惑递减，就越来越不费力了。只要疑惑不除，必然辛苦费力，因为你一直搞不清楚，免不了试试这个、试试那个，这样做做、那样做做。

等你找到正确的方法，就不那么辛苦了，因为原先反复试验、到处乱跑的能量，现在受到驾驭，不再乱窜。

起初，分析确实会耗费能量，以后就不会了。方向会出来，等到你朝着正确的方向前进，智慧就出来了。等到智慧的动作出来了，就不再感到费力，而是把努力当成喜悦。在完美的境界中，你的内在经验与外在表现达到平衡与协调。

译　注

①“最弱的部位是动作的根源”（the weakest part is the source of action），这句话有可能被简化解读成“身体哪个部位最弱，就针对那个部位多做某个动作，做多了，就可以做到那个动作了”。

这里的“动作”跟上一段“既不失去姿势的内在动作，也能做好外在的姿态”一样，英文都是 action，它指的是身体的内在动作，不是一般的外形姿势动作。我们做某个瑜伽姿势时，在努力做出外在姿势时，要清楚这个姿势的内在动作。以坐姿前弯为例，在做这个姿势时，我要知道这个姿势的关键在于牵连到身体哪些相关组织、结构，我要能觉察这些相关部位的动作（action）。如果我能觉察这些部位的动作，我就知道自己目前可以伸展到什么程度，而不会硬生生勉强身体做出前弯的姿势，以致伤到肌肉、韧带、脊椎（而不自知）；如果我还不能觉察身体的内在动作，我知道自己得用其他比较和缓的预备动作来慢慢锻炼、调整肌肉、组织，而不是以为只要努力多做坐姿前弯，久而久之自然就会做好这个姿势。

②“调整对位”（Alignment）是艾扬格先生很重要的体式教学原理，是指把身体相关的架构、组织根据重力和地心引力调整到对的位置，让身体在空间里取得轻松自在、能量贯通的存在。所谓“对的位置”并没有一个绝对的标准，而是依个人的体型、姿势的变化有所不同。以太极拳为例，初练拳的人一摆出架势时，一定会按照基本的太极拳心法“松肩、垂肘、落胯”等，来调整自己的拳架，这是外在看得见的姿势调整；站立时，则“尾闾中正神贯顶”，这是身体内部细微、精密的调整，外形并没有明显的姿势变化。练太极拳的人称这些身体上的调整为“调姿势”。瑜伽体式也是一样，每一个姿势身体内部都需要精密、复杂、层层深入的调整，只是大部分的人在练习的过程中一心求形，着眼于姿势，常常是做到了姿势，却不知道自己是怎么做到的。凡是有禅坐经验的人都知道，刚入坐的时候，总是要花一段时间来“调身”，禅坐里的调身，就是在坐姿里一连串细密、精微地调整身体的内在结构，使身体在空间里取得最轻松自在、能量贯通的存在，以方便入禅。每一种体式都须下很大的功夫把身体的架构、组织调整到对的位置，使身体在“奇怪、艰难”的姿势中仍然能在空间里取得轻松自在、能量贯通的存在。

体式的深度

身不离心，心不离灵，没有人能在三者之间画出界线。体式在印度从来不单单是身体的练习，在西方却被视为如此。可是受到西方的影响，如今甚至许多印度人也开始这么认为。

甘地去世时，萧伯纳曾说，或许千年以后才会再有一个甘地出世！甘地并没有修持整个瑜伽八支，他只遵行了“不伤害”（非暴力）和“真实”两项原则。然而通过这两项原则，他主掌了自己的心性，并且为印度赢得独立。如果修持一部分的戒律能让甘地变得这么伟大、这么纯洁、这么诚实、这么神圣，那么有没有可能修炼瑜伽的另外一支——体式，来达到灵性的最高境界？或许很多人认为体式是身体的训练，如果你不明了体式的深度而说出这样的话，早已错失了瑜伽的恩典。

下面几章我会稍微详细说明修炼体式所涵盖的层面，并且显示为何单单修炼体式即包含了整个瑜伽八支的修行之道——从持戒、内修，一路到三摩地。我有意深入探究体式的各种层面，因为西方人普遍只把它看成身体层面的练习。

我们初学体式时，只是摸到皮毛，做出来的姿势都是表面的，这时可称为“尝试作用”（conative action），意思是说，我们的心生出了学瑜伽的想法和意愿，想努力尝试。“尝试作用”仅仅是最直接层面的生理作用。

然后，身体在做各种姿势时，突然间皮肤、眼睛、耳朵、鼻子、舌头（所有的知觉器官）感受到肉体发生了变化。这可称为“认知作用”（cognitive action）：皮肤有了认知，认出了肉体的动作。

第三阶段我称为沟通、交流的阶段。这时心观察到皮肤的认知作用和肉体的尝试作用有了接触，而达到了体式中的“心的作用”（mental action）。在这个阶段，心加入工作，由知觉器官带到行动器官，确切明了此刻正在发生的事。心犹如肌肉动作与知觉器官之间的桥梁，把智能连接上身体的各个部分——肌肉纤维、组织、细胞，一直到皮肤表层的毛细孔。当心加入工作，新的念头从里面升起，我们可以专注地看，并且记住动作的感觉。我们感觉到身体里的变化，并且省思：“这种前所未有的感觉是什么？”我们用“心”来分辨。这有分辨能力的心，观察、分析身体前面、后面、内部、外表的感受。这个阶段可称为“反思作用”（reflective action）。

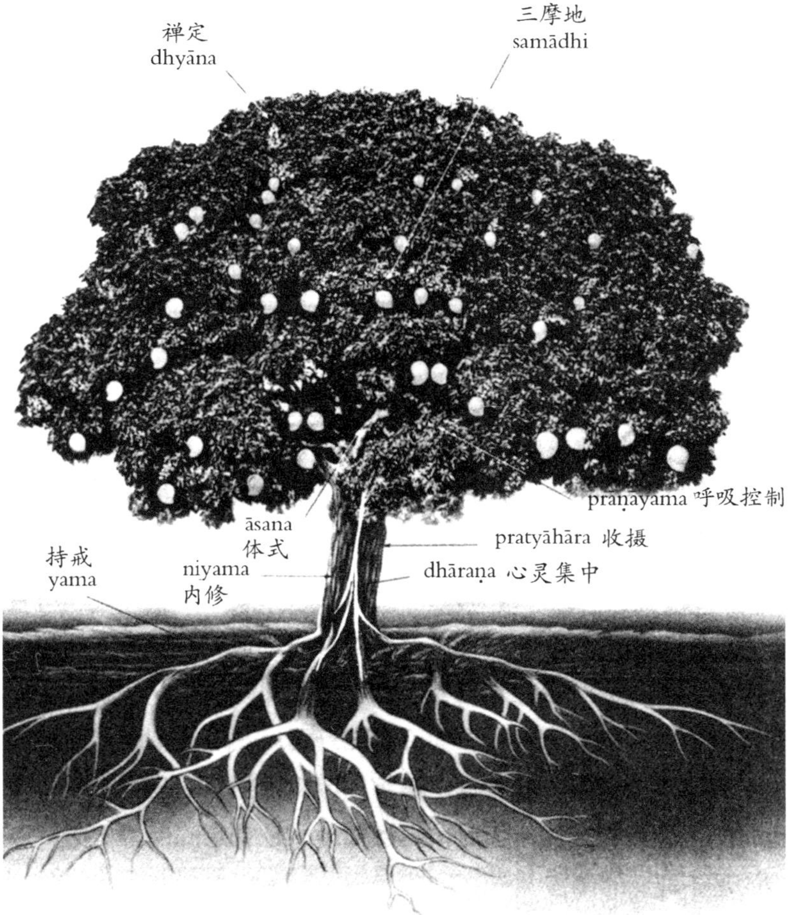

最后，当动作有整体的感觉，而在伸展之中没有任何波动，这时“尝试作用”、“认知作用”、“心的作用”，以及“反思作用”全部聚合成一个完整的觉知，从最深层的真我到皮肤表层，从皮肤表层到最深层的真我。这是瑜伽的灵性修炼。

身体包含三个组合体，在这三个组合体里有数个层面。粗钝体对应于身体构造层；精微体由生理层、心理层和知性层构成；核心体又称因果体，其他二体皆依因果体而生，这是喜悦的灵性层。当身体里千千万万的细胞都聚集了这五个层面——当内外合而为一，从细胞到真我，从有形的身体到存在的核心，那么这个姿势是冥想的姿势，已经到达了体式最高的冥想境界。

这就是统一，就是帕坦伽利在《瑜伽经》第三章所描述的统一，它包含身的统一、息的统一、感官的统一、心的统一、智的统一，乃至于最终的真我与宇宙万物的统一。

体式必须如此演练。这不是一天练得成的，也不是几年练得成的，而是终生的修炼。习者需要有“信心、记忆力、勇气、专注、不间断的觉知”这五种瑜伽修行维他命。有了这五种维他命，就能征服身体的五个层面，达到天人合一的境界。

瑜伽本为结合、联结之意，因此身与心的结合、本质（nature）与观照者（the seer）的结合即为瑜伽。除此之外，别无他物，一切尽在其中。在完美的瑜伽修行者身上，丰沛的本质生命畅流无阻。

树　根

整个瑜伽八分支都包含在体式的修炼里。瑜伽八分支之首为持戒，有如树根，因为持戒是基础，一切从它而生。我们来看看演练体式如何呈现持戒的原则。

前面说过，持戒包括：不伤害、真实、不偷盗、节制、不贪婪。假设你在做体式时，右边伸展的比左边多，这种不合戒理的状态就进入身体里。伸展得比较多的右边有伤害，伸展得比较少的左边看起来没有伤害。右边之所以有伤害，是因为你指示右边“尽量做、尽量伸展”，这是有意的伤害，因为你过度伸展。至于左边，你没有伸展太多，或许你认为自己没有对左边施加伤害。但是有判断力的瑜伽习者会观察到：当有意识地对一边施加伤害的同时，也正无意识地对另一边施加伤害。由于右边比较强、伸展度大，你就尽情运用这边的身体细胞，而没有充分运用左边的细胞，虽然表面上看起来没有伤害，其实还是伤害，因为这部分的细胞若没有发挥应有的功能就会死去。因此，一边展现的是有意的伤害，另一边展现的是不经意的伤害。

如果右边伸展得多，左边却没有等量的伸展，你是不是该观察左右两边的对立，明智地伸展左边，让左右两边对等。这样伤害与非伤害才有所平衡，这时伤害与非伤害都消弭了。身体的左右两边必须整合，两边平衡才是真正的不伤害。

当左右两边整合了，就达到戒律里的第二项原则：真实。你不需要观察真实——你已经在真实之中了，因为你并没有怯于练习较弱的一边。当体式全然伸展，身体里的五个层面从身体构造层到灵性层，从灵性层到身体构造层，彼此神会，完全交融，就能掌控身体的感官、心的波动、智觉的沉思冥想，这就是节制。节制意味着灵魂跟着你的动作走。当灵魂与动作合为一体，就是节制。

由于你练习时给予左右两边全然同等的专注，所以没有执取，也没有贪求，因为当灵魂在身体里跟着智觉走，这时一无所贪，一无所求。你从贪中解脱出来，因为动机消失了；当动机消失，贪念也消失；没有贪念，渴望也就终止。

演练体式时，这些戒律的原则呈现在每一个姿势中，这就是体式习练中的道德修炼。

树　　干

树干对应于瑜伽八分支里的内修。内修在体式的演练中担任什么角色呢?

内修的第一项原则是洁净。假设你右弯的姿势做得很好，表示你清洗、洁净了右边；假设左边弯得没有右边那么和谐，表示左边没有洁净。如果你没有清理左边，那儿怎么会洁净？当两边都能和谐地弯下，表示两边都经过血液（携带气的生物能量）的适当清理而洁净了。

你知道电力是这样产生的吧：水像瀑布似的流入涡轮机，涡轮机在水的动作下旋转而产生电流。人体也是如此，我们做体式时，血液流到每一个细胞，就像水流到涡轮机，身体里隐藏的能量释放出来，给细胞带来新的活力。当细胞有了新的生命，我们就体验到内修的第二项原则——满足。

在满足之上还有更高的知足境界，以及更高层次的体式的演练，这些都表现在其他三个内修的层次：热情、自我研习和敬奉神。

何谓热情（tapas）？这个字经常翻译成“苦修”，然而“热情（或‘如火的愿望’）”更能表达这个词的意思。用热情来清洁我们身体的每一个细胞，感官的每一个细胞，使得我们的感官和身体长葆纯净、健康，不净、杂染无法进入。应该用这种精神来演练体式，这就是实践瑜伽，因为希望每一个部分都洁净的强烈愿望促使我们去实践。

何谓自我研习（svādhyāya）？sva 的意思是真我，adhyāya 的意思是研究、学习。前面说过，人有三个组合体（粗钝体、精微体、因果体）和五个层面（构造层、生理层、心理层、知性层、灵性层），去研究人的这三个组合体、五个层面的所有功能就是研究自我。研究这个自我，从身体皮肤表层到存在的核心，这就是众所周知的智瑜伽，洞察灵性的瑜伽。

最后一项是敬奉神，即虔道瑜伽（bhakti – yoga）。通过修炼，你的智觉境界提高，成熟的智觉除去你的自我意识，你与神合而为一，因为你已经放下自己交给神。这是敬奉神，放下一己的行为、意志敬奉神，这是五项内修原则的最后一项。

简而言之，体式的效果是维持皮肤、细胞、神经、动脉、静脉、呼吸及循环系统、消化及排泄系统、心、智，以及意识，全都干干净净、清清楚楚。它包含了持戒和内修的各方面，而持戒和内修则是瑜伽之树的根与干。

树 枝

树枝是体式。修习体式要有哪些正确的态度与方法呢？

你得全神贯注，以虔诚、奉献、专注的心习练姿势；方法应诚实，表现应诚实。演练姿势时，必须知道身是否接受了心的挑战，或心是否接受了身的挑战？你的身体实际感受到姿势吗？还是因为书上说这个姿势对身体有某某功效，所以你就照做？你是受到书本的影响，一心追寻别人写出来的经验？还是演练时你用清纯的心，根据自己的体验对姿势有了新见解？

除了完全的诚实，你还得有十足的信心、勇气、决心、觉知和专注。当头脑、身体和心有了这些质地，你的姿势就会做得很好。体式必须用光和美供奉演练者整体的身、心、灵。这是用身体来做灵性的修炼。

āsana（体式）是姿势（posture）的意思，是身、心、灵在统一状态中安置身体的艺术。姿势有两种层面：一是做姿势（posing），一是反思姿势（reposing）。做姿势是动作；当做出某个体式时，四肢和身体摆在固定的位置，叫姿势（pose）。反思姿势是指反省、思考做出来的姿势，重新思考以及重新调整姿势，使得四肢和身体依适当的顺序安置在位置上，并且感觉安适、舒缓，心能体验到骨骼、关节、肌肉、纤维、细胞的宁静与安稳。

通过反思身体的哪一个部位在努力，心是否专注，身体的哪一个部位心没有洞察到，我们让心和身体做相同的伸展。当身体在收缩或伸展之际，智觉也跟着收缩、伸展而到达身体的每一个部位。这就是所谓的反思姿势，这是灵敏力。当这种灵敏力均匀地触及身、心、灵，我们就处在冥想禅定的状态，身和心、心和灵之间的二元对立就消失或粉碎了。

体式的结构不能改变，因为每一种体式本身就是艺术。你得精算、解析每一种体式，这样才能带出并呈现出体式的真正样子。身体的重量要平均分布于肌肉、骨骼、心和智。拮抗力[①]和动作要调和。一般人以为习者是主体，体式是客体，但应以体式为主体，习者为客体；如此，习者、工具（身体）和体式三者迟早会成为一体。

要研究体式的形体。它可能是三角形、圆形、拱形、椭圆形、直线或对角。注意观察所有这些重点，在这些范围里研究、演练，如此身体会呈现出体式原本的美妙。就像切割精美的钻石，身体的关节、骨骼如同宝石，也要切磋、琢磨，以合乎体式的精细架构。整个身体的感官、心、智、意识以及真我，都参与这个过程。我们不应该调整体式来适合自己的身体结构，而是琢磨身体以合乎体式，这样体式才会有正确的身体、生理、心理、智觉、心灵的质地。

帕坦伽利说，当正确演练出体式时，身与心、心与灵之间的二元对立就消失了。这就是在姿势中反思姿势，在动作中深思、反省。以这种方式做出体式，有记忆和智觉的身体细胞得以保持健康。通过精确的练习，细胞维持健康，生理就变得健康，心就更接近灵魂。这是体式的功效。应该以这种方式来演练体式，让心不执着于身，并迈向灵魂的光明，如此习者可安住于灵魂之中。

译　注

① 拮抗力（resistance）也是艾扬格先生在体式里很重要的教学原理。拮抗力的意思是：用均等而相反的力量伸展身体的一个部位离开另一个部位，借此在身体里创造出空间。你可以用这个方法同时移动身体的两个部位，或是一个部位固定住，而另一个部位移开。你也可以利用地板、墙或辅助工具把身体的一个部位固定住，然后运用恰当的力量使身体的其余部位从固定的那个部位往相反的方向伸展、拉长或拔挺。

（以上定义为 Mary Lou Weprin 老师所提供，经 Donald Moyer 老师确认没有偏离艾扬格先生的教导。他们两位在 20 世纪 70 年代直接受教于艾扬格先生。）

树　叶

树叶提供氧气滋养树木健康成长，呼吸控制（prāṇāyāma）则提供氧气滋养人体系统的细胞、神经、器官、智觉、意识。我们演练体式时，只有在呼吸跟动作同步时，身体才能完全伸展。prāṇa 是能量，āyāma 是创造、分布、维护的意思。呼吸控制是呼吸的科学，导引生命能量的制造、分布与维护。

糟糕的是，有些老师要学生在做体式的时候闭气。原始经典里从来没有提到这回事。我们闭气时是要留意姿势，还是留意呼吸？我们吸气时，头脑像树叶般前进；吐气时，头脑往后退。闭气时，头脑变得紧绷，这样如何能在身体里找到静寂？凡是以吸气的方式做体式，结果仅仅是身体作用，而以吐气的方式做体式则有活力、生机，能产生生理作用，促进细胞健康。用闭气的方式做姿势仅仅是肌肉作用，我把这种练习方式称为身体瑜伽，和灵性瑜伽恰恰相反！

当所有的元素合为一体，亦即当身、心、灵达到完全统一的状态时，你忘了身体、忘了呼吸，也忘了智觉。这不是三两天就能达到的，可能要练个五六十年才能体验到我所说的境界。在这之前，你可以用吐气作为辅助，因为你是初学者。

吐气的当下确实能帮助你把姿势做好，因为这时候的身体是放松的。如果你便秘，医生给你通便剂，上了几次厕所之后，你觉得全部清干净，肚子整个舒服了。同样的，吐气犹如通便剂，可以清除身体细胞里的紧张。可是如果你练了五十年瑜伽，仍然使用这个方法，这表示你的生理和心理都没有进步。要留意在平日的练习中有无进步或转化。如果我今天做瑜伽的方式和1934年初学时一样，那么我的修炼就像健康但不结果的树，或是健康但无法生育的女人。我练的不是那种瑜伽，我要自己的行为能结果。瑜伽的真正的果不是肉体上的成就或表演。瑜伽修行者向来不测量氧气的摄取量，他们对这个没兴趣；他们在意的是借着和谐的呼吸保持头脑和心的清静，这是靠呼吸法达成的。行为所结的果会告诉你是否走在正确的路上。

印度古书《往世书》（*Purāṇas*）里有个故事很有意思，说的是从大海提炼生命之水的故事。天使和魔鬼在为建立道法而战；天使遵循道法，魔鬼偏爱邪恶。由于魔鬼强过天使，所以邪恶日益增长，横行天下。于是天使去求助创造之神大梵天和毁灭之神湿婆天，两神建议天使去找维系之神毗湿奴带领他们建立道法。毗湿奴要天使从大海提炼生命之水。由于生命之水由毗湿奴分配，所以剩下的事就交给毗湿奴处理。

美露山被掷入海里作为搅拌棒，蛇王也投入水里变成拉牵搅拌棒的绳索。魔鬼的力量比较大，抓住蛇王的头，天使则抓住蛇尾巴。正在提炼的当儿，美露山沉到海底，大家没法工作了。这时毗湿奴化成乌龟潜到海底驮起美露山，让大家能继续提炼。

这搅拌的动作就是吸气和吐气；犹如美露山搅拌海水，脊椎的作用就像个搅拌棒，在我们的身体里搅拌气息。就在一吸一吐之间，脊椎把能量推送到前后上下，在我们的系统里产生生命之水。故事里的毗湿奴好比人类的灵魂，是最深处的真我，使我们呼吸，因而导引出外在粗重层次的能量，这能量含有长生不老的核心能量。所以我们活得更健康、和谐，并且借着撷取宇宙之海蕴藏的能量来延年益寿。

用哲学的说法，吸气是真我与周边外围接触的动作：存在的核心随着气息移动，碰触皮肤的内层——即身体最外层。这是灵魂外放、伸展的过程。吐气则是回归之旅：它是内收的过程，身体、细胞和智觉往内移动，回到源头，即存在的核心。每个人体内这种外放伸展与回归内收的过程，就是呼吸法。

因此，在每一个呼吸循环当中，有两条路可以使我们明白神的存在：一条称为创造之路，一条称为舍离之路。向外的创造之路是吸气，往内的舍离之路是吐气。瑜伽修行者以这个哲理为基础，训练自己在这两种状态之间取得平衡。修炼和舍离在止息的练习中相会凝聚。

止息（kumbhaka）是息、智觉和真我的暂时悬止；习者尽可能在吸气时守住悬止之间提起的神性——存在的核心。这是灵魂的禅定。我们不只是在生理上止住气息，而且要掌握通过呼吸而提升起来的、充满生气的真我。如果让真我消沉，止息就变成仅仅是生理的、机械式的呼吸调节，一点儿也不是真正的止息。如我前面所言，吸气时，真我来到表层，就像毗湿奴沉到海底撑起美露山再次提炼海水。保持提升起来的真我如如不动，是真正的止息。吸气、止息、吐气，三样都含括在内，这样的练习是纯粹的神圣状态。止息中，真我和身体成为一体，身体也和真我成为一体。身和心在吸气、吐气、止息中神圣结合。

如果你把气息看成是呼吸作用，它是生理的；但是如果你去研究、了解呼吸对心的作用，它就变成灵性的。呼吸法是生理与灵性之间的桥梁，所以呼吸法是瑜伽的枢纽。

树　皮

当你整个人彻底、完全沉浸于体式，既没有忘了身体，也没有忘了感觉（当五种行动器官和五种知觉器官的功能和关系都正确合宜），这就是收摄（pratyāhāra）。收摄的意思是：把各种感觉从皮肤的外围往存在的核心（灵魂）收回。心沉静的当下，真我安憩于它的居所，心也消融了。同样的，当肌肉和关节安憩于姿势中，身体、感官，还有心都消融了，意识一片清明，这就是收摄的意思。

前面说过，印度思想把身体分为五个层面：构造层、生理层、心理层、知性层、灵性层。心和智如何区分？为什么我们把心分成两部分，而西方心理学却认为都是同一回事？我们区分收集资讯的心与分别善恶、推理判断的智。

哲学不分东西，但哲学家提出不同的方法供个人思索、成长。或许你是西方人，我是东方人，然而你我的弱点和得意是相同的，无须区分。如果东、西方哲学在方法上显得不同，别忘了东方哲学古老悠远，西方哲学则年轻得多。西方的哲学是理性主义的，所有的讨论都以头脑的智力为准，不涉及心的智慧。不过现在西方对心也出现了新的区分，除了心理学之外还有超心理学。真正的哲学是融合头脑与心灵的智慧，像是佛陀、罗摩克里希那（Rāmakṛṣṇa）、罗摩努迦（Śrī Rāmānuja）、圣方济这些圣贤所教导的。

心的知性层面有网罗、搜集、累积讯息的能力，却没有识别力。识别出自收摄。收摄修炼、教化知觉器官。在我们一生之中，多半以记忆取代智觉。记忆启动心，由于心受记忆所启动，所以我们只追寻过往的经验。记忆担心失去它的身份地位，每每在心有一丝机会去呼唤智觉时，记忆马上跑出来说：“行动呀，马上行动!”这就是众所周知的冲动，它通常控制着我们的行动。许多人都是冲动的。冲动的意思是：不经思考而立即行动。这就是为什么瑜伽修行里要有第五个层次的收摄，因为你必须确定记忆给予正确的回应。

我们的五种知觉器官与色、声、香、味、触接触，并且把接触后的印象传送给心，心再把它们储存在记忆库里。记忆渴望更多的经验并煽动心，心就回避智觉而直接刺激行动器官去追逐这些经验。在这整个过程当中，智觉想要衡量利害得失以平衡记忆、心和知觉器官，可是它们都不听智觉的明智忠告。过去快乐的经验使它们渴望多一点再多一点，因而需求与欲望横生。欲望引诱心去追求更多的享乐。反复享乐之后，行动器官失去效能，无能再激发知觉器官和心。人不断渴望过去的印象，但是无法得到满足，这就生出烦恼的种子。这时瑜伽的第五支收摄，就像真正的朋友般，赶来援助这个不快乐的人，让他能在灵魂的喜悦里找到快乐。

那个一直回避智觉的心，这时懂得以智觉为指引。有判断能力的智觉就衡量对错，带领心不一味依赖记忆和它的印象。反记忆和心之道而行，就是收摄。在智觉的协助下，各种感觉开始往内走，并且回归原点。这种衡量本能、念头、行动的过程，就是舍离的训练。放下世俗事物，依附内在灵魂，就是收摄。此后，能量保留下来用在当用之处，而不是渴求重复。记忆经验了新的印象，变得服帖而顺从意识。这个意识掌有智慧，而且使它安憩于良心的源头。如此一来，冲动的本质停息了，直观洞见自由流畅。

收摄意味着不让记忆玩它的拿手戏。把记忆架空有如虚体，这样心与智就能直接联结。西方心理学不区分心与智，完全没有谈到这个过程。但是印度哲学里把心分为波动起伏的心和沉稳安定的心。如果能掌握到这点，就抓到瑜伽的重点，对生命会有新的看法和领悟。

器物放在完美无瑕的水晶之前，如实映照而不会有折射；同理，当意识从千思万虑当中解脱出来，就变得极为敏锐、清明、晶莹剔透，如同观照者。这时意识明白知觉者、知觉的工具和被知觉的物是相同的，而心可以如实映照而无折射或扭曲。帕坦伽利说：“在这个阶段，记忆已臻成熟，不复存在，心从过去的记忆里解脱出来，变得前所未有的敏锐、前所未有的清新，前所未有的智慧。”（《瑜伽经》第一篇 43 节）

树　液

把散漫的心约束住，就是心灵集中（dhāraṇā）。心灵集中是全然的专心。它是树木、枝干之内向根部流动的汁液。

试想一片湖，难道湖水只拍打一边的湖岸，而不拍打另一边？还是湖水会均匀地拍打整个湖岸？做体式时，你的意识应该如湖水般拍打到身体各处的边缘。那时还会有空隙让念头升起吗？当你全神贯注于体式，通体遍布智觉时，怎么可能会有念头升起？

因为你在做体式时只注意到局部，你的觉知才会受到念头的干扰。如果全神贯注地投入所有的细胞、神经、智觉、意识及真我来做体式，或许你会有不同的体验。学着在当下全神贯注地练习体式，维持这种状态，看看此时此刻是有思还是无思的状态？

看看有念和无念之间是不是有空隙？还是有念和无念的状态都消融了？

完全无念，是心灵集中，如同禅定。无思不是遗忘。你必须沿着一条绳索行走，就像蜘蛛在网上沿着一根丝行走。蜘蛛只沿着一根丝行走，你也要处在单一的有思状态。如果你忘了有思的状态，那么你是落入了空洞。维持在警觉灵活有思的无念状态，即是三摩地。

有念的状态需要有意的专注，维持无念也需要有意的专注。因此，根本没有所谓的无念状态，也没有有念状态。你不是变得空洞，而是处在全神贯注、全然觉知的状态。这是心灵集中，时机成熟时就可导向禅定、三摩地；体式必须要这样练。

花　朵

练习体式有两条途径。一条是往外表达或展现之路，把真我带往身体、带往皮肤的毛细孔、带往身体的外层。另一条是往内直觉或洞察之路，在这儿身体的各个工具是用来走向真我的。这两条路径结合起来就是身与灵、灵与身的神圣结合，这是禅定。

我们练习体式时，必须学着在表现姿势的外形与美感之际，不失内在的专注。皮肤是知觉器官，本身没有动作，只是接收。所有的动作都由皮肤接收，可是做体式时如果肉体过度伸展，皮肤会失去灵敏力，无法把信息送到大脑。西方人容易过度伸展，想要得到些什么，想要速成，他们想把姿势做成，可是这样一来就感受不到反应了。肉体过度伸展使得知觉器官变得迟钝，由于皮肤失去敏感，心就无法感受到动作的反应。

神经医学里谈到输出神经和输入神经。大脑通过输出神经传递信息给行动器官去行动，知觉器官通过输入神经把接收到的信息传送给大脑。瑜伽里也有这种说法，只是用语不同。在我们的说法里，输出神经是肌肉纤维或动作通道，输入神经是皮肤纤维或知识通道。完完全全了解动作通道与知识通道，并且和谐运用两者，就是瑜伽。练习体式时，肌肉纤维的末端和皮肤纤维的末端之间要有空隙——也就是在知觉器官接收信息与传送信息到行动器官之间要有空隙。如果能做到这一步，就是禅定。通常我们没有保留这个空隙，因为我们觉得自己必须立即行动，这就不是禅定了。

你该知道，大脑虽然位在头部，心却遍布全身。大脑收到信息时，不是根据记忆立即发出行动信息，就是稍微停顿做一番分辨。心与大脑察看这个信息。你反省这个信息，你分析："我这样做对吗？我这样做错吗？为什么我这边的身体有这样的感受，那边有那样的感受？"这就是反省。你对肉体产生的动作加以反省，而这个动作是被皮肤接收到的。你判断孰是孰非。当你判断，并且通体达到平衡，这就是禅定。这是肉体的禅定、皮肤的禅定、心的禅定、智觉的禅定，四者没有差异。

你有所判断，你达到平衡的状态，所以你是统一的。觉知遍布于整个人，从皮肤到真我，从真我到皮肤。这时，你知道如何观看外在，如何观看内在。内在充实完满，外在也充实完满。可惜的是，现在的人美其名曰自己在修禅定，结果经常修到孤单、空寂。孤单导致沮丧，空寂导致迟钝。空寂不是禅定，睡觉时你也是空寂的。如果空寂是禅定，我们每天睡眠八小时，应该都很有灵性了，可是我们却一点儿改变也没有呀！

印度史诗《罗摩衍那》（*Rāmāyana*）里说到斯里兰卡的魔王罗婆那有十个头，这十个头象征五种行动器官和五种知觉器官。罗婆那有两个兄弟，名叫古巴卡那和伟毗沙那。这三个魔王分别代表人的三种质地：官能欲望、懒惰迟钝、光明纯净。

三兄弟都修禅定，而且个个功夫深厚。某日大梵天对二魔王说：“我很满意你的修行。你想要什么我可以赐给你。”二魔王高兴得不得了，一时不知道要什么好，最后要求睡眠。大梵天依了他的愿，让他一年睡三百六十五天。大梵天说：“如果你是自己醒来的，就可以长生不死；如果是被吵醒的，你的死期就到了。”

大魔王抢走了罗摩王的妻子希塔。大魔王因禅定深厚而有神力，把湿婆天的仙山搬到凡尘。湿婆天问大魔王要什么，大魔王说：“我要你。”于是带走了湿婆天。尽管大魔王拥有湿婆天，心里依然忘不了美丽的希塔。虽然他禅定深厚，结果还是色迷心窍，把希塔抢来。他一手拥有湿婆天，一手贪淫别人的妻子；他虽然超凡入神，却不能控制感官，强把希塔占为己有。

老三深知大哥所犯之过，恳求大哥将希塔还给其夫，他说：“你已亲见湿婆天，为什么放不下这个平凡的女人？放了她，把她还给原本所属之人吧。”罗婆那不听弟弟的劝告，结果罗摩王发动战争，罗婆那战败。

两个哥哥死于战争，伟毗沙那向罗摩王投降，他说：“你是有德之人，求你保佑我们，愿善行美德复归我土。”罗摩王依了他的愿。从这个故事看来，只有伟毗沙那的禅定是纯净的禅定。虽然三兄弟的禅修都达到巅峰，但是老二停留在懒惰迟钝的境界，老大仍然受感官欲望驱使，只有老三保持在纯净光明的境界。

你听了这个故事，可以想想禅定之后自己的智觉在什么层次？是懒惰迟钝呢？是仍然受制于官能欲望呢？还是达到光明纯净？单单闭上眼睛静静坐着，是无法获得禅定的。纯净的禅定境界是人所有的工具（知觉器官、行动器官、心、大脑、智觉、意识、良心）全部收摄于存在的核心，形成统一的状态，没有任何分割。禅定是把智觉意识与本能意识维持于动态的平衡。

你们可能都有修禅定，我也有。你可能是在屋子一角静坐，内心渐渐感到空寂，就像睡眠时一样。我不修那种禅定。我不是在屋子的一角静坐，而是在生活中的每一个动作、每一个体式当中修禅定。

或许你读过印度的《薄伽梵歌》，书里教我们如何以喉咙中央到肛门为中线，身体不偏不倚、不倾不斜地维持在规律、和谐的状态。我能以中线为准来调整身体的各部位以及心与智吗？我能像那样坐着吗？书上的道理很简单，奉行却是多么的困难啊！

我的智觉和意识在身体里平行奔流的时候，能够不干扰身体的河岸——皮肤吗？我能不能把内在的觉知延伸到身体的每一个部位，而身体依然如如不动？这就是我所谓的全然的禅定：身体全神贯注，头脑警觉清明，我让心伸展、扩散、覆盖身体各个部位。因此，我学习如何让身体、头脑、心、智、意识、灵魂完全合一，没有一点儿分割。我是这样修炼的。那也就是为什么对我来说，体式和禅定没有差别。禅定在哪儿，体式一定就在哪儿；体式在哪儿，禅定一定就在哪儿。

果　实

我已经说明过，整个人体系统如何借着深入研究体式的演练而整合，甚至只演练一种体式就有这种可能。依照定义，瑜伽是整合的科学，我们却没有必要地把它分为身体瑜伽、精神瑜伽、灵性瑜伽、智瑜伽、虔道瑜伽、拙火瑜伽、圣哲瑜伽等等。这种分别实在很糟糕，为什么我们要把结合个人身、心、灵的瑜伽如此分别？

有多少人真正懂得做体式？说体式是身体运动的人当中，有多少人知道体式能做到我所说的那种深度？你需要琢磨这些说法，以自己的经验去验证这些说法，不要被我或任何人的说法牵着鼻子走。你通过努力和练习来琢磨每一句话。琢磨就是体验的意思。从做中找答案。通过亲身体验的琢磨，你发展出独到的智慧，这个独创就是禅定。引用别人的话套在自己的练习上，我称之为复制，那是借来的智慧，是不能成为禅定的。

我要你们琢磨我的话和别人的话，在没有消化吸收之前，不要有意见。那么你就会享受到纯粹、不含杂质的喜悦。经验是真实的，言语是不真实的。话是别人说的，经验却是你自己的。所以凡事都要亲身验证。当经验有了稳定度，当经验的感觉不会摇摆、变动，就是三摩地。

三摩（sama）是平衡、和谐的意思。当灵魂（存在的本源）完全统一、和谐时，就是三摩地。许多人说三摩地是出神（trance），但这个词不恰当。在三摩地的状态时是完全的觉知，意识布满身体所有的层面和所有的部位。然而，我们说瑜伽最终是忘了身体、忘了心。犹如树的生命元素藏在种子里，人的生命元素藏在灵魂的种子里。你无法在种子里看到树，也不能在灵魂最深处看到真我。所以修行到最高处，本我也忘了，不过你是因为深入之后而忘。把灵魂融合到身体的每一个部位就是三摩地。

瑜伽练习有两种。当你完全沉浸其中，不回想过去的印象，时时刻刻不断地调整，尽力做到完美、精准，那么瑜伽就变成灵性的练习。如果你的心散漫不定，或是身、心、念头各行其是，尽管你正在练瑜伽，尽管你说瑜伽是灵性的，它仍是官能的。

你是瑜伽初学者。我昨天的练习告一段落，今天也是个初学者。我不把昨天的姿势带到今天的练习。昨天的姿势我了解了，今天我仍以初学者的心态来练习。我放下昨天的经验，我想知道除了原有的体验之外，今天会有什么新的领悟。在这样的探求过程里，我的身体是弓，我的智觉是箭，而我的靶是真我。我觉察内在，也觉察外在。在射中靶之前，我们必须先学会好好拉弓，所以要把身体当作弓来伸展，那么你的智觉之箭会锐不可当，放手一射就可射中靶，也就是你的灵魂。不要担心靶，只要弓拉得好，箭镞锐利，就会射中靶的。

你在练瑜伽的时候，心在什么状态？你练瑜伽的目的是什么？是为了让自己走在路上看起来更吸引人？还是为了从身体到灵魂修炼自己？若是为了修炼，它就是灵性的。官能和灵性就像一个铜板的两面，如果翻到这一面是灵性，翻到另一面就是官能。

瑜伽练习是自觉的事。不需要外人来认证你的瑜伽练习是灵性的还是官能的。唯有习者能检测自己的修炼是否神圣。因为灵性是自觉的，正如存在的核心也是自觉的。外人无法透视存在的核心，只能看见身体和身体的表现形式，看不到直觉的一面。外人试着从外表、身体来衡量我们是否神圣，但我们不需受到这种看法的干扰。

清晨起床时，你注意到自己的心处在什么状态吗？晚上睡觉时，在你就寝前，当你准备上床躺下时，你注意到自己的心处在什么状态吗？你能描述那个状态吗？你想到身体吗？当下你想到心吗？那个存在的核心躺在床上吗？那是刹那的感觉，是当下的一刻。我问的就是那当下一刻。床在那儿，你在这儿，一切就绪，你就是躺下。

在你的头落到枕头之前，你的心是什么状态？那个时候你没有觉知到身体或心，你就是躺下。头贴到枕头之后你的心是什么状态？就在这一刻你说：“喔，谢天谢地！”你回到自己的心了。在前一刻你的身体是忙碌的，你的心是忙碌的，你的智觉是忙碌的，但是就在躺下的这一刹那，它们全都回到真我，为了让真我躺下。这叫作“当下存在”，因为这时没有心或身的存在，只有真我存在。如果你能捕捉到这个状态，并且在繁忙的生活里增加这种状态，就可以做任何事而不会与内在灵性失去联结。与真我联结，就是与灵性或神性联结，这样即使投入世俗活动，仍旧能够维持神圣。

你看到美丽的事物时，是身体看到，还是心看到？能看的是什么？有那么片刻，你就只是杵在那儿、张着嘴，你是处在灵性的状态。然后你说：“我看到了！”就在此刻，你把看见的东西带到心里，你就遮住了真我，回到心的活动。

我说过这就像铜板的两面，翻到这一面是真我，翻到另一面就是身、心和周围的世界。这一面是灵性的愉悦，那一面是官能的愉悦。记住，外人无法告诉你说你的练习是灵性的还是身体的。我可以表面上是在禅坐，但内心深处正想着一位美女。别人看来我在禅坐，但是我里面在做什么呢？

你必须学着去捕捉那些状态。上床前，你的心是什么状态？看到湛蓝的天空，在脱口说出“好蓝的天呀”之前，你的心是什么状态？太阳落到西边地平线像个深红的苹果，这时天空美得让你说不出话来，当下你的心是什么状态？你看到湖里的鱼，什么吸引了你，可是一旦你大叫：“看，看！”你就失去了灵性，因为你回到了感官。

所以你必须分分秒秒保持警觉，以明白什么是灵性的、什么是非灵性的。我无法区别此二者。那些区别的人是不诚实的。你应该学着单单去看纯净，而不是去看区别。如果真我存在于身体内所有的细胞，我怎么能说细胞只是生理的存在？真我存在于细胞内，我存在于此。如果我存在于此，我岂能说它只是生理物质？当心与念以新的方式融合，只要你维持在这个新的方式里，那就是灵性的。一旦你记忆下来，那就是官能的。

想要重复经验，那是机械式的练习，而不是灵性的练习。你必须把经验收起来，看看今天会发生什么。你不该唤回过去的经验。那个经验已经变成固定、有限的东西，因为它被确认了。把这个确认收起来，看看今天的练习会出现什么。如果你是这样练习的，那么你的练习是灵性的。但是如果你今天想再经验一次昨天的新体会，那是重复，不是修炼——这样不可能是灵性的。

一棵树有千百万的叶片，每一片都不一样，却全都出自于同一棵树。你也有无以数计的叶片，像是各种念头、行动、反应、波动、感受、弱点与限制，而这些全都联结到同一个根源——存在的核心。你应该把目标放在以整体来看自己，看整棵树，而不是区分花、果、叶或皮。你看叶的刹那，就忘了树。同样的，如果你说你要修禅定，却忽略了瑜伽的其他部分，你就没有看到这整棵树。

如果你碰到一根有电的电线，你会触电。智觉应当像身体里一根通了电的电线，在你散漫或遗忘的时候，触电的冲击会告诉你“你的脑袋有东西走失了”。这是禅定里的动作，动作里的禅定。因此，动作与禅定之间没有差别，正如哈他瑜伽与帝王瑜伽两者没有差别。haṭha 是“智慧的意志力”的意思，rāja 是“灵魂”。智觉是灵魂与身体之间的桥梁，也是缝合身体与灵魂成为神圣一体的丝线。这种神圣的结合，就是三摩地，也就是自身的纯粹（absoluteness）。这是瑜伽之树的果实。

人必须锄地松土，拔除杂草，灌溉、施肥，如此这般小心看顾，树才会健康成长，结出美果。我们知道一棵树的精华集中于果实里的汁液，那是一棵树成长的巅峰。我们摘下果实，品尝它的风味，赏味的快乐只能感受，无法言传。

同样的，若要体验修行的结果，就需要谨慎遵行瑜伽之树的各个阶段。持戒，修炼行动器官，使其行之有道；内修，教化知觉器官；体式，清洗身体每一个细胞，使其获得良好的血液供养；呼吸控制，运送能量；收摄，守住心，清除所有的不净；心灵集中，清理遮蔽智觉的盖幔，并且提升智觉以增长灵敏力，因为它是心与内在意识之间的桥梁；禅定，整合智觉；而在三摩地里，智觉与意识之河汇流，融入灵魂的大海，让灵魂能放射出自己的荣耀。

因此，瑜伽之树引领我们一层一层地修炼，直到我们亲尝瑜伽的无上美果，照见灵魂。

第三部分

瑜伽与健康

整体健康

“整体”（holistic）这个词现在很流行，大家经常听到人谈论整体医学。holistic 含有“全部”的意思，这是健康的真正涵义。当身体、心和真我整合时，这个整合就变得神圣。没有神圣性，谈不上真正的整体修炼或整体医学。

若是从灵魂到皮肤、从皮肤到灵魂都有所联结，若是身体细胞与灵魂细胞之间有强大的交流，那就是整体或整合的修炼，因为人全部的系统已经整合成单一体，身、心、智、意识与灵魂都合而为一。

多少世纪以来，尽管科学、医学、心理学有着惊人的进步，但是没有人能够划分身与心或是心与灵之间的界线。它们无法分割，彼此牵扯、交错、联结。心之所在，即身之所在；身之所在，即灵之所在；而灵之所在，即心之所在。然而在我们日常生活里，三者经常截然划分。心在忙的时候，就不再觉知身体；当身体在忙的时候，就失去了灵魂的观照。

瑜伽是迈向整合之道，然而我们这种四分五裂的状态最初是从何而来的呢？来自生活里的烦恼：无知、愚昧、骄傲、执着、怨恨、嫉妒。这些就是造成我们烦恼，并且带来身体、心理、灵性病苦的原因。

据说帕坦伽利教导我们如何言语合度，如何用医药来保持身体健康，如何用瑜伽来保持心的平稳与安详。《瑜伽经》开宗明义告诉我们“稳定你的心！”这句话如当头棒喝，给我们的头脑和心重重一击，让我们好好思索那是什么意思。为什么他这么说？心若需要稳定，那是因为心总是在波动。然而心为什么会波动？是什么让心波动？帕坦伽利接着分析心何以会波动，以及身体不能平静的原因。

帕坦伽利的出生故事是这样的：帕坦伽利的母亲葛妮卡是未婚的瑜伽苦修者，学问渊博、智慧过人，却一直找不到适当的弟子来传承她的学问。她掬水祭拜太阳神，向神祈祷：“这些学问是你所赐，我现在奉还给你。”这时她睁开眼睛，看见手里有东西在攒动——是帕坦伽利。pāta 意为“落下”，añjali 代表“祈祷的时刻”。因着出生的方式，葛妮卡给掌中的小孩取名为帕坦伽利。日后就是他写下梵文文法书《摩诃巴夏》（*Mahābhāṣya*）。他也学习舞蹈，并且从舞蹈动作当中了解身体的各种功能，因而写下健康与医疗的书。他完成这两部著作之后，自觉尚未圆满，因为这两本书都没有谈论到意识，所以他对自己说：“现在我来谈

论意识吧!”于是着手《瑜伽经》,开宗明义写道:“约束意识的活动就是瑜伽。”(《瑜伽经》第一篇第2节)

帕坦伽利的文法书《摩诃巴夏》和《瑜伽经》保存至今。很多人认为有名的吠陀医典《阇罗迦集》(*Charaka Saṁhitā*)是帕坦伽利用阇罗迦(Charaka)这个笔名写的,不过也有人说帕坦伽利并没有医学知识。还有人认为写文法书的帕坦伽利和写《瑜伽经》的帕坦伽利不是同一个人。但是我们知道近代像奥如宾多(Śrī Aurobindo)这样的伟人,每天可以写出几百首诗,他在修炼瑜伽时才华更是洋溢。所以我们不用惊讶,在那个时代灵魂完全统合的帕坦伽利能写出文法、医学、瑜伽这三本巨著,尽管这三门学问都非常复杂、艰难。因此,我向帕坦伽利致敬,感谢他传给我们这三门学问。

《瑜伽经》在一开始就探讨心和智的根源,也就是意识或心。帕坦伽利在首篇《三摩地篇》分析心的活动和行为;在第二篇《修炼篇》谈论身体的烦恼,就是这些烦恼造成心的活动与个人的行为模式。

帕坦伽利在第三篇《成就篇》里描述瑜伽修炼的结果,以及瑜伽修炼各阶段的成效、特色与收获。但是他警告我们不应该受制于这些成效,不要认为有了这些能力就表示我们的灵性之旅已经达到目标。相反的,我们应该持续修炼,让意识与灵魂的智觉能够均衡发展。当两者达到均衡,就达到无上智慧,这时人的存在是完全统合的,这个状态就是完全解脱(absolute liberation),而第四篇的篇名就叫作《完全解脱篇》。

因此，《瑜伽经》第一篇论心，第二篇论身体，第三、四篇则提醒我们瑜伽的最终目标必须是到达灵魂。帕坦伽利的聪明才智放在语言上，写了文法书；放在身体上，写了医典；致力于灵魂时，则写了《瑜伽经》。人存在的三个层面（身、心、灵）都包含在瑜伽科学里了，所以瑜伽是整合的科学，能把人从分裂的状态带回到完整和健康的状态。

目标与副产品

起初，瑜伽根本不是治疗学。瑜伽是把意识、心和身整合起来，以解放灵魂的科学。兴建工厂原本是为了生产某种产品行销于市面上，但不知道是幸还是不幸，生产过程中却意外制造出许多副产品，其中有些具有市场价值。这样一来，可能就忘了当初兴建工厂的宗旨，反而一心制造副产品到市场销售。瑜伽也是如此，它有好几个层面，虽然终极目标是照见灵魂，但有许多附带的好处，包括了健康、快乐、安详、平衡。犹如每种工业过程都有某些副产品，瑜伽也有健康、快乐、疗愈这些副产品，因此在某种程度上，瑜伽可以被视为医疗学。

我们的健康和生命仰赖呼吸和循环作用。这是人体系统的两

扇大门，只要其中一个阻塞不通或受到干扰，疾病就会产生。试着把你所处的房间想像成人体，如果房间的门窗紧闭，就觉得空气很糟，糟糕的空气就是这个房间的毛病，这时你会怎么做？你打开门窗，新鲜的空气流进来，排走了坏空气。同理，练习体式可以供给人体能量，促进循环。无论身体哪里循环不良造成阻塞，使人受风湿关节炎、气喘、支气管炎、肝胆肠胃疾病等等之苦，当练习体式，它的姿势能灌溉系统，清除阻塞。造成分裂的病因清除后，就恢复完整和活力，得到真正的健康。同样的，如果呼吸系统阻塞不通或受到干扰，练习呼吸法可以清洁系统，使它回复到完整状态。

体式和呼吸法是瑜伽所有其他方面的泉源，因为整个人体系统是靠呼吸和循环这两扇大门。呼吸规律能保持呼吸系统这扇门清洁、通畅，而顺畅没有阻碍的循环系统能使血液滋养到身体的每一个部位。血液循环到身体不健康的部位，那些部位得到滋养，毒素就能排除，各种失调与疾病症状就解除了。这可能需要一段长时间，因为这是自然的过程，要按照自然过程的节奏。要记住，即使你服用现代医师所开的药，药物促进某种作用，使身体原本的功能加速进行，但这些药不是治疗剂，只是加速作用——药物不能治愈疾病，只有本能才能治愈疾病。另一方面，瑜伽不用外在的药物去加速作用，你必须靠自己的本能，只有通过本能让人体系统依自己的能力尽可能快速、有效地运作。因此这个过程是缓慢的，但确实、可靠；现代医药效果快速，却未必确实、可靠。

根据印度吠陀医学（āyurveda）的说法，身体的各种疾病起于体内五种元素不平衡（下一章会仔细说明这部分）。练习体式能平衡这五种元素，而呼吸法能促进这个作用。我刚才说过，药物能促进治疗作用，但本身不是治疗剂。同理，呼吸法不能带来平衡，但是它促进这个作用，让做姿势时能较快促成平衡。然而该做哪些姿势，避免哪些姿势，就必须跟着够资格的老师学习。体式不是药方，是“描述”。药方是医生仔细写下药名、种类，让病人去药房买来吃。可是在瑜伽里，你必须描述姿势，这个姿势要怎么做才能对治某个毛病，而有病痛的人必须历经锻炼，才能以正确的方式做出正确的体式来治疗疾病。

瑜伽与吠陀医学

吠陀医学（āyurveda）是印度传统医学。āyur 是从字根 āyuḥ 而来，意为“生命”，veda 是从字根 vid 而来，意为“知道、明白”。如果你明白身、心、灵，就是吠陀。

吠陀医学源自四部吠陀经中的《阿闼婆吠陀》（*Atharva Veda*），另外三部是《梨俱吠陀》（*Ṛg Veda*）、《娑摩吠陀》（*Sāma Veda*）和《夜柔吠陀》（*Yajur Veda*）。这四部神圣的经典是印度思想、哲学的根本。没有人知道吠陀经始于何时，据说并非出自于人，瑜伽也不是出于人手。由于这些学问不是出自于人，所以是普世的，是给全人类的。创造之神大梵天是瑜伽的创始者，所以瑜伽和印度文明一样古老。吠陀医学也和印度文明一样久远，是所有医疗系统之母，不论是对抗疗法还是顺势疗法，吠陀医学里都有记载。你可以在吠陀医学里看到像顺势疗法这种以毒攻毒的对治之道，也可以看到像对抗疗法这种给予症状相反处方的疗法。吠陀医学里两种都有。

我们在吠陀经里读到：“身体完美是一切行动之本源。”它还进一步说：“病弱者无法体验灵魂。”所以说，身体是个人的修行本源。瑜伽和吠陀医学的目标几乎一样，都关心自我实现，唯一的差别在于：瑜伽走心理—灵性的路线，而吠陀医学则走物理—生理的路线。根据瑜伽的说法，疾病的原因是心起波动；吠陀医学则说，疾病的肇因是体内元素不平衡。

人是由地、水、风、火、以太五种元素组成。第一种元素地是制造能量的基础，能量制造出来后需要空间来传输，这个空间就是第五种元素以太。地和以太是能量的制造者和传输者，两者本身是永恒不变的，只有和风、火、水这三种元素接触才会改变。吠陀医学说，身体里有三种体液，它们是风、火、水三种元素的具体显现，这三种体液若不平衡，会干扰身体的均衡状态，而引发疾病。

根据瑜伽学说，个人的行为模式会造成本性和心的三种本质不平衡，于是就产生了干扰。这三种本质我们在前面三兄弟的故事里说过，就是光明纯净、官能欲望和懒惰迟钝。这三种本质会干扰心，心接着干扰身体的功能。练习体式和呼吸法有助于产生洞察力，把体内不计其数的各个部位联结起来。

对于烦恼的起因，瑜伽和吠陀医学的说法没有矛盾。我们有七百组肌肉、三百个关节、一万六千公尺长的神经分布在人体系统里，还有大约九万六千米的静动脉、微血管。这个人体机器十分复杂，要让这么多零件井然有序，是非常困难的。我们不知道一组主要肌肉运作时，有多少小肌肉辅助——我们甚至不知道那些小肌肉的名称。身体若要动，需要有动力，这个动力就是风元素。血液也必须循环，血液循环的动力是火元素。血液传输到身体各部位，在流动之间产生化学能量，这种能量在瑜伽和吠陀医学里称为“光”，这个光就是火元素，或称为电能。现代医学也说我们身体里的神经传导系统带有电能。最后，是润滑身体的水元素。正如你需要把车子送去加油、加水，我们的身体系统也需要水元素，否则就会像棍子一样——关节里没有润滑液，根本不能动。

瑜伽和吠陀医学之间唯一的差别是：瑜伽需要强大的意志力。你必须自身发出能量与疾病搏斗。因为许多人缺少与疾病搏斗的意志力，吠陀医学就投以种种药石来帮助身体作用。这些药石撷取自动、植物与矿石，有些服用之后可以强化身体。同样的，练习体式时，应该以“行动”和“知识”为药石。当你练习体式和呼吸法时，身体的本源应该感受到这种能量。

瑜伽和吠陀医学都说到人有三种病苦。第一种是自找的病苦，如果我们滥用身体，自然而然要付代价。第二种是从父母遗传来的病苦。第三种是因为体内五种元素不平衡而导致的病苦：例如地元素不平衡就有便秘之苦；水元素不平衡就有水肿之苦；火元素不平衡胃就有灼烧感；风元素受到干扰就会觉得腹胀或关节酸痛；如果突然之间身体没有缘由地涨大或缩小，然后恢复常态，这是以太不平衡。练习体式有助于维持五种元素的平衡，如此可以避免第三类的病苦。

瑜伽和吠陀医学一样，也有补药。帕坦伽利说维持瑜伽修行的补药是信心、勇气、胆量、专注以及很好的记忆力，让我们以不断的觉察力清楚明白今天练习时的变化、昨天的变化、前天的变化，以及许多天前的变化。这是瑜伽习者的五种补药。如果没有这五种补药，你压根儿不是在修炼瑜伽，只是在享受满足的快乐。你还记得内修里的洁净和知足吗？持守这两项原则可以达到身体健康和心理和谐。但是帕坦伽利的修行并非止于洁净和知足，他继而谈到如火的欲望、自我研习和敬奉神，是这些从身体的接触导向灵魂的解脱。

吠陀医学始于身体，瑜伽始于意识，出发点虽然不同，但都有助于维护身体健康，两者都是解脱的科学。

实用的方法

肾上腺素被视为西药里唯一适用于所有病症的药，我们可以说，照见灵魂是瑜伽里的肾上腺素。如果你的胃不舒服，这是实际的病痛，必须实际对治。你得跟随够资格的老师学习，明白为什么会痛，你做哪些动作时发生了变化，姿势哪儿不对，哪儿受压迫，压迫的位置是不是恰当，还是这个压迫点应该换到其他位置以消除紧绷？你要在练习时能看出所有这些问题。

假设你的腿上有个疖，医生是马上刺破把脓挤出，还是先清理四周？如果这个疖是体内的原因造成的，那么只除去疖头是没有用的，因为会另外长出一个。同样的，在瑜伽里，不能头痛医头、脚痛医脚。如果胃不舒服，应当知道与胃痛相关的间接原因。你必须看整个身体的状况，这是常识。在直接动到痛处之前，你必须强化身体的其他部位。

做体式时，不要直接伸展有问题的部位，要先强化其他部位。必须告诉老师："我不想直接压迫那个部位。"这样就不会出差错。若身上某个部位疼痛，不可以只想求速效。在直接对治有毛病的部位之前，必须先训练、强化四周的部位，否则原有的毛病会恶化，这就不是瑜伽的过错了。应当先知道疼痛的原因，然后谨慎地施予瑜伽姿势来去除疼痛。必须先强化间接的肌肉群，以利后来进攻病灶。老师能从外部观察，以他外在的眼睛来导引你，先清理、强化四周的部位，然后你由内对治病弱之处。

大多数的学员头脑的智慧很发达，可是身体并不能反应头脑的意志。通常，他们的头脑是发号施令的主人，可是你得学着让头脑当客人，身体当主人。这是瑜伽教导我们的第一个功课。学会了这一点，瑜伽的效果就非常快。

如果胃痛，你无法用头脑强制胃不要痛，这种事头脑没有办法做主。如果你用头脑，我会很不客气地说："是你的胃在受苦，不是头脑！"我会同情你的胃，而着重于降服你的头脑。我会说："放松你的头脑！放下！"这可以解除头脑的紧绷，当紧绷减小，胃痛也就舒缓了。因此，我们在心理上放松头脑，在生理上治疗胃。这使得头脑接受疼痛，疼痛就变得可以忍受了，原先消耗于紧绷的能量，转化成治疗的能量来治疗胃痛，这时伤痛开始疗愈。

或许对所谓的知识分子来说，要他们以身体为主体是比较困难的，因为他们活在头脑里。瑜伽修行者明白他的头脑从头到脚涵盖全身。知识分子则认为，他只在自己的头脑里，此外别无所栖；他的智力没有办法超过脑袋停留在身体其他部位。瑜伽修行者却说：“把能量融合，从头脑到身体其他部位，如此身体和头脑才能和谐运作，能量才能均匀地平衡在两者之间。”这就是疗愈过程的开始，因为紧绷的头脑放松了，使得神经放松。

经常有人要我指点该做什么运动来对治他的病痛。我不给意见，只说：“下功夫去除病痛。”意见一点儿也没用。我不能建议你做某种运动，我怎么知道你做了之后会有什么样的结果！每个人的状况不同，所以必须视情况而定，否则就像看了书上写什么药可以治什么病，就自行去药房买来服用一样。你不能看了瑜伽书，就照书上的说法来治疗学员的病痛。我不准学生这么做。书本只是粗略的指南。如果你在教学时遇到特殊的医疗问题，必须请教对这种问题有经验的资深老师。有这样的老师指导，你安全，学生也安全。

比如说，某人有僵直性脊椎炎，如果是老毛病，而且骨头都融合了，这样很难有太大的进步。就像已经长大的树，不能随意修剪了，只有树苗能让你随意修剪。如果是新毛病，就可以像树苗一样修整；若是长年宿疾，能控制病情不再恶化就要知足了。如果是新症，要很快对治、驯服；如果它蔓延，也要很快对治，注意不要让它蔓延。练习体式要有一些常识：肌肉要跟骨骼调整对位，器官要跟联结组织调整对位，身体内部要跟身体外部调整对位，身体后部要跟身体前部调整对位，还要把器官都归到对的位置上。所有这些在练习时都要观察到。

以体式的三角式为例，如果你观察身体的外侧线条，会发现许多人外侧的那一条腿只是晾在那儿：从脚到大腿斜斜摆着。在生活中观察一下身体两边的动作。一般人做三角式时，膝盖和大腿是远离整条腿的中心线的。那种瑜伽是无法治病的。骨骼是中心，肌肉是中心的两翼，应该像鸟的翅膀一样在骨骼两侧平均展开。如果一边的翅膀被切掉一半，小鸟剩下一个半翅膀是无法飞的。同理，只运用一边半的肌肉，这些部位就无法健康，也就不能治疗疾病。每个部位的肌肉都必须平均分配，使翅膀或肌肉均衡地分布于两侧，要这样才能治病。

如果你是瑜伽老师，应该要有一些病理学知识，要知道疾病的成因、如何发展、身体哪些部位会受到影响。做瑜伽老师很不容易。或许你可以立刻判断出这个人有什么病痛，可是如果你不知道如何直接对治病灶，就得从外围着手。先强化病灶远处的肌肉，确定病灶上、下、左、右的肌肉都锻炼强壮了，然后才渐渐逼近病灶。这样就不会有风险。例如，腰椎有毛病，你得先锻炼颈椎、尾椎、骨盆荐髂关节部位以及胸椎。唯有如此调整之后，才能着手于病灶。如果直接从腰椎下手，不仅冒险，还砸了自己的招牌，又破坏了瑜伽艺术的价值和好处。

若是新症，有经验的瑜伽老师会直攻病灶；若是沉疴，老师会从外围下手，先把其他部位锻炼健康、强壮，然后进攻病灶取得健康。瑜伽用在治疗上必须这么做。

以上所言是概略的准则，我在这儿无法针对特定的状况给予特定的解决方法。你必须观察，跟着有经验的老师学习，然后自己谨慎判断、处置。

谨慎的艺术

许多瑜伽书籍提到一些特别的洁净法（kriyās）。但是如果你仔细阅读《哈他瑜伽之光》，就会发现书上说它是治疗法，不是瑜伽的一部分。洁净法是无药可医之后的方法，在施予这种猛烈的疗法之前，病人已经试过许多其他的疗法——不是每一个人都可以用的。现代医学也有一些猛烈的治疗手段，例如肾上腺素是猛药，若是所有的药剂都无效了，才施予肾上腺素。同样的，在古时候，当其他方法都失败了，才采用洁净法这种猛烈的治疗法，据说健康的人不应该做洁净法。

那本书还说，洁净法有的效果，体式和呼吸控制都有。现在很多人以为哈他瑜伽就是洁净法，事实并非如此。哈他瑜伽包含体式、呼吸控制、收摄、心灵集中、禅定和三摩地。洁净法是不同的东西，只适用于某些异常疾病的治疗。

有些人用水、绳子或布来洁净身体的内部通道。我做的是“空气洁净法”。我练呼吸控制，用气息来洁净身体。既然大自然已经给了我们呼吸这一条气脉，为什么我要插一些外物到身体里？所以我说那些洁净法是没有必要的。

你吞下或半吞布条，如果布条不够干净，造成胃部感染、发炎、生脓，你要怪谁？有几个人能熟练吞咽布条的技术，或是坐在水里用肛门吸水？大自然给了我们自然的瑜伽系统，迥异于那些洁净法。所以古籍上明言，洁净法是猛烈的治疗法，只有在非常的情况才可使用，不是每一个人都适合。如果你想亲眼一探究竟，请参阅《哈他瑜伽之光》第二章第21节。

你种了一棵树苗，观察它生长。可是如果你每天拔起树苗，给它换地方，树苗就死了。同理，你不应当用这些猛烈的方法来干扰神经系统。洁净法是给其他瑜伽方法不奏效的病人使用的，若是一般人使用，久而久之会因为不当使用身体系统而导致病变。

练习体式也应当小心，要考虑习者的身体状况。例如，举起双臂会直接造成心脏的负荷，所以心脏有问题的人要避免举起手臂的姿势。举起手臂会对心脏造成负担，所以我们不教这些学生任何站立的姿势，立姿对他们无益，并且造成刺激。

我很难跟西方人解释激励性运动（stimulative exercise）与刺激性运动（irritative exercise）的不同。以慢跑为例，医学说慢跑激励心脏，可是我们要弄清楚激励和刺激的差别。心跳增加，并不意味心脏得到激励。激励的意思是“能量增加”或“活力增加”，可是运动也可能造成不舒服或疲乏。慢跑造成心跳快速，对心脏而言是不舒服的刺激。

体式里的后弯动作比慢跑还难做，可是不会刺激或干扰心脏，因为在整个过程中我们保持平稳的呼吸，维持规律的心跳。所以我们在教体式时，必须明白哪些动作确实增加活力，哪些没有增加活力。做了增加活力的练习之后，绝对不会疲惫。努力练习之后觉得舒服，表示这个练习增加了活力。但是如果做了十几分钟之后觉得疲累，这是明确的信号，表示你做的是消耗能量的刺激性运动。这个道理也适用于瑜伽。例如，我看到我的学生用刺激性的方式教导半月式——极紧绷、极沉重、全身肌肉绷得紧紧的。这就是我所说的，用消耗能量的刺激性方式做瑜伽。这时我会上前，教学生如何用激励性的方法做半月式。

老师要深知每个学生可能都有身体上的缺陷或病痛，必须试着去激励有毛病的部位，而不是去刺激它。教瑜伽很简单，但是要教得正确则很困难。虽然每个人的肌肉、关节、肌腱的结构都一样，但是由于个人习惯不同，造成生理、心理的不平衡，使得结构受到干扰，老师在教学时必须考虑到这些因素。因此，班级人数多时，有时需要把较弱的学员挑出来做不同的动作，或是特别关注，才不会有人受伤。

再回到学员心脏有问题的例子。心脏是一个袋状的肌肉，位在左胸的中央。当这个袋子向外转，表示心脏发生扩张，确定有心脏病。体式里的桥式肩倒立和卧姿抬腿靠墙这类姿势会帮助这个袋子回归到原来的位置。可是举起双臂时，心脏会移开正常的位置，所以我们建议有心脏病的学员不要做这类对心脏造成负荷的姿势。

我们也不教这些人做头倒立，因为头倒立时血液奔流快速，而且在进入头倒立姿势时，学生容易憋气。心脏脊柱支撑心脏的肌肉，所以心脏病患者必须锻炼、强化背部这些支撑心脏的肌肉群。想想地震之后的情况，心脏病发作就像心脏发生地震。地震之后的几天内会发生什么情况？会有余震，大地在余震中慢慢地、缓缓地调整结构。不会有第二次的大地震，但是在大地重新安定下来之前会有持续的余震。心脏病发作之后也是同样的情形。心脏病发作之后，保护心脏的肌肉很硬，肌肉纤维非常紧，因为它们先前卖命工作保护心脏，而且此时心脏仍有余震，因此首先必须放松这些保护心脏的肌肉。我们给予一些会使这些肌肉柔软的姿势，等肌肉柔软了，就经得起下一次的发作而不会出问题，因为肌肉已经放松了。如果你要那些肌肉本来就很紧绷的人做头倒立，肌肉为了平衡会更加紧绷，你可以预料会出什么事。

我这么详细地举例解说，是为了你好，让你知道遇到学生有病时必须用什么方式来练习体式。有人或许会做不必要的冒险。如果有人要冒险，就让他自行负责，但是你不要冒险。比较好的方法就是利用垫子放松肌肉，躺下来挺尸式，加上简单的呼吸，这样就够了。

再提醒一件跟所有女性学员有关的事，就是月经期间最好不要做倒立的姿势。月经期间经血自然而然排放，如果排放不顺，就会头痛去看医生；如果流量太多，也会去看医生。在月经期间做倒立，经血容易收回去。如果倒立阻碍了排放，经血会包覆在体内。刚开始不觉得有什么异样，但是经血受地心引力的影响排不出来，可能逐渐在里面形成覆膜，久而久之可能会导致囊肿、癌症等疾病。所以月经期间不要做倒立的姿势，而适合做前弯的姿势，就完全不会影响经血排放。这类姿势可以维持经血自然排放，同时可以收缩器官，使经血早点排净。

可是如果有人大便流血，这不同于女性的月经，不是自然的生理作用，就不适用前面所说的不可做倒立的限制了。有痔疮的人肛门会流血，练习倒立一段时间之后就不流了。痔疮的血液不会累积，是因为皮肤的毛孔渐渐恢复，伤口干爽，开始疗愈。这时大便没有困难，不再有裂口，不会流血了。人体机能快速自行愈合，管束住痔疮的血流。可是在月经期，人体的机能是开放的，不能闭锁，否则会引来疾病。

我说一个自身的例子，你听了或许会吓一跳。差不多有十五年之久，我上厕所一定会流血，肛门痛得我没办法从马桶上站起来。我去医院检查，因为除非我确定有需要，否则就不开刀。检查结果是，我的身体非常健康，一点儿毛病也没有。然而我就是一上厕所，血就像自来水似的流出来。我一直都没吃药，十五年之后这个症状自动消失。

我想没有几个人有勇气面对这样的事情。我的学生里有许多顶尖的医生，他们应该知道这是怎么一回事。他们搔着脑袋说："我们不明白为什么会流血，没有伤口啊！"他们建议我开刀，切掉肛门口。我说："如果我不知道是什么病，请问，我为什么要开刀？"他们说："那你只好继续流血了。"我说："我就让它流，看它什么时候会停。”

我身上还有干癣的困扰，皮肤会剥落。在西方你可能因为穿某种袜子，或者穿机器烘干的衣服而得干癣。感染的原因很多，健康的人抵御得了，但是如果血液不够健康，就可能受到感染。皮肤起疹、脱皮很难受，根据我的经验，如果能早晚各花两个钟头的时间练习倒立、头倒立及其变化式，血液的品质改进，伤口很快就愈合。我可不是说自己能治疗干癣，不过根据自身经验以及许多学生的例子，我认为干癣可以控制，并且很快复原。

至于湿疹，如果是干性的，那就完全没问题，所有的体式都可以做。如果是湿性的，练习时就得非常小心，注意湿疹的汗水不要碰到身体其他部位。如果你问我：“体式对湿疹有没有效?”我告诉你：“肯定有效。”两种性质的湿疹我都对治过。

我不知道身上还有没有痕迹。多年前我教过一位湿疹患者，结果受到感染，难受了好多年。我还得过一堆指甲毒素，是教学时学生抓住我的腿或身体其他部位，指甲戳进我的皮肤而感染的。你知道艾扬格先生有时会拍打学生来纠正他们的姿势，可是你或许不知道我从学生那儿得到什么回报：学生的疾病会传到我身上！有两三年的时间我身上很痒，看不到什么症状，就是会痒，我常常擦樟脑膏来止痒。有一天，我太太装了一桶水，桶子的弧形提手末端有个尖角。我不知道水桶在那儿，打开门一径走进去，那个尖角不偏不倚刺中我的痒处，流了一碗的黑血之后就不痒了。那血可真黑呀，流完之后接着就是鲜血。我跟太太说，这黑血就是几年来让我不舒服的元凶。这些都是我在教学时得到的毛病，可是我通常很少谈到这些病痛。

我在美国治疗过一位艾滋病患者，他决定到我在印度普纳的机构来接受训练，因为他练了瑜伽之后体力好很多，过去不能做的体力劳动，现在都能做了。我的美国学生想开办艾滋病患者诊所，看看瑜伽能不能对治艾滋病。可是我对他们说，不要操之过急。至于有湿疹、干疹这类毛病的人，毫无疑问地，都可以放胆去练瑜伽，不会有任何不良后果。

最后，我要给那些看了别人怎么教，就想如法炮制的老师一些忠告。比方说，我在教一群怀孕六个月的妇女体式，有人观摩了之后说："喔，这瑜伽很好。"离开后就认为自己知道怎么教怀孕妇女了。他们没有看到我是怎么从怀孕第三个月开始教到第九个月的，不知道我每一个月的教法都不一样。可是他们回去后，认为已经看到我教给怀孕妇女某些姿势，所以也知道怎么教了。

我举了怀孕这个例子，其实还有很多例子。例如，有人问我是否建议青光眼患者做倒立姿势。我确实教过青光眼患者做倒立，可这并不表示我会如此推荐。如果我用这些姿势，那是因为我知道怎么教学生做这个姿势，否则青光眼患者做倒立是会增加眼压的。你必须知道眼球应该如何、耳朵应该如何、呼吸应该如何。如果我像医生一样，开出一些姿势作为给青光眼患者的处方，别人看了会马上说："我要为人服务，所以我要教青光眼患者倒立姿势。"这种事情几年前就发生过。

我在普纳教青光眼患者，甚至视网膜剥离患者。我教过好些视网膜剥离不是很严重的患者，所以我不紧张。如果有人知道他

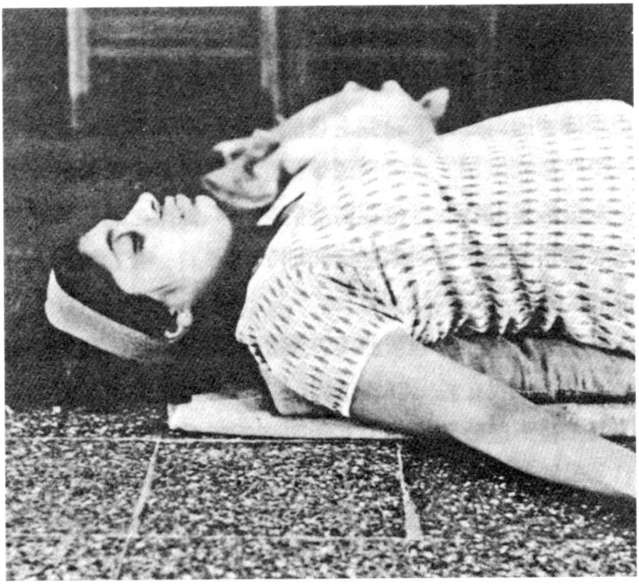

的视网膜快要剥离了，我能治好他。不过我受过一次教训，所以现在很谨慎。几年前，我正在教几个青光眼患者头立，有个男人进来，他本身没有青光眼，只是来观摩我教学。事后他写信来说，“看了你教青光眼患者头立之后，我现在也这么教，病人皆受益。能否告诉我应该再教些什么吗?”我很生气，可是对这种事情我能怎么办？对于建议什么病痛做什么练习这种事，我十分小心、谨慎，因为许多人会说：“那我也如此这般照着教。”可是重点在于如何教。如果你不知道如何教，就不要教。这不仅指头倒立，也包括许多其他会压迫到眼睛的体式。不知道的事就不要做，要不然很危险。以这个例子来说，只要做前弯的姿势就好了。这个你能教，而且不会有害，即使不能治好青光眼，至少保证不会恶化。这样，我安全，你安全，学员也安全。

疗愈康复的学问

瑜伽的原始概念是自由和至上的幸福，对习者来说，过程中产生的副产品（包括身体健康）是次要的。然而，我们可以观察这些副产品是怎么来的，以及体式和呼吸法的效果如何慢慢影响身体、活化细胞组织。因为通过观察，我们能学习到各种动作是如何促发身体和生理的不同效应，继而明白它们是影响身体其他部位的途径。

这是传统的知识，可是传统的环节失落了，所以科学家和修习者必须探究源流。环节不见的原因说来话长，我们都应该知道是怎么一回事。在某个时代，人人修炼瑜伽，那时候印度是和平的，完全没有敌人入侵。可是过去一千年中，印度国土多灾多难，敌人从北方、西方、东方入侵，最后侵略者跨海而来。文化、寺庙、学校历经有系统的损毁、败坏，许多古代的传统因此失落，连接传统的环节也切断了。这些知识过去都在那儿，可是现在已经遗失了，我们必须重新弄明白。这就是为什么我们必须照着自身的经验，找出我所谓的最有效的可能动作。

瑜伽修习者和科学家已经发现了许多线索，让我们联接上失去的东西。长年修炼体式和呼吸控制，修炼到最好的层次，以对抗和不对抗的方式练习，用自身的反应来观察和实验，这种种的练习、努力，有可能让我们找到体内的经络，并且以自身之力运用这些经络来治疗自己，而不需依赖别人。瑜伽是自觉的医疗学，会影响身体里各个重要的中心。

这门学问非常复杂。以经脉的概念为例，我们的身体里有左脉（īda）、右脉（piṅgalā）和中脉（suṣumṇā），它们是主要的能量通道。经脉和中国阴阳的观念有关联，左脉是阴（女性），右脉是阳（男性），这两条能量通道在身体某些地方交会，在系统里交错联结，凡是交会的点就是一个穴位。我们练习体式和呼吸控制时，这两条经脉会在交会的中心交换能量，这些中心就是能量的储存库。当身体呈现最佳状态，左右两脉的能量就通畅无碍，这时潜藏在中心的能量被导引出来，用来疗愈体内的各种疾病。

当每种姿势都做到可能的最正确、最完美的时候，无论你是否觉察，这时意识存在于身体的每一个部位。但是只有在智觉产生时，觉知也才苏醒过来。你应当知道，身体有病的部位会失去灵敏力。通过各种瑜伽练习，有病的部位可以重新获得生气。我们在做姿势时，把能量带到生病的部位。我们通过身体的亲身经验，明白这个道理，所以在修正学生姿势时，我们触摸那个部位，使能量可以顺畅无碍地流到身体的每一个部位，以修复身体。

我给大家的警告是：不要明明知道自己不懂还去帮助别人。那有危险。我已经说了好几次，而且一定要再次警告：只教自己懂的，不要教自己不懂的，不要把别人当白老鼠来实验。要弄别人之前，自己先做白老鼠。我之所以这么说，是因为在帮助别人时，瑜伽老师的处境和医生不同。合格的医生看诊、开药，和病人没有情感上的联系。医生知道病人的症状、病因、哪种药对哪种病有效。医生开了处方，你去药房买来，依照指示服用。如果你吃了药有效，很好；如果没效，医生要你去找专科医生做检查。在瑜伽的疗愈过程中，老师跟学生或病人有联系，时时刻刻知道学生的情绪和反应，在瑜伽里，没有药房这样的中介。你必须非常谨慎，因为你处理的是活生生的人。医生是在运用药物，而不是那么直接处理人；如果药剂没效，医生说："没关系，我换一种。"可是在瑜伽里，你没有办法换药，你必须一再回到相同的原理，所以你需要知道这些原理该怎么运用到各种情况。

有些人说，我教的是瑜伽运动体操。这很可惜，只有不明白瑜伽真正深度的人才会这么说。我深入自己的身体，我是自觉的修炼者，我不依赖外来的知识，我的知识是从自身体验而来的。我明白每一种体式的深度，我必须打通肌肉之间的对立。假设我的小手臂比较长、上臂比较短，外表看来健康，其实却变形了。关节应该在正中央，身体上下之间不应该有变异。能做到这一点才叫作明白。体式帮助我们去除身、心、灵里面的对立或障碍。

以耳鸣为例，这是实际的身体毛病，需要实际解决。这也许是因为耳朵里阻塞，骨头彼此太接近，耳内生脓，身体太虚，或耳屎作祟。这需要观察颈部和耳朵的结构，没看到这个人，我没办法知道他耳鸣的原因。但一般说来，像肩倒立、犁式、肩立桥式等倒立的姿势，对这些毛病都有助益。这些倒立的姿势确实有用，但是如果姿势做得不正确，则于事无补，不但耳鸣照旧，而且新添了疼痛。所以老师必须留意病人在做姿势的时候，耳朵是否疼痛。守头窍（ṣaṇmukhī－mudrā）也有帮助，但是手指要如何插进耳朵是门学问。这需要练习，小心反复练习之后，就知道如何在过程中调整内耳。手指需要练就极精细的技巧和敏感度，来平衡内耳。

我在普纳有个学生就有这个毛病。她从来不讲电话，因为听不见。她的父母跑来找我，哭着说："我们家二十岁大的女儿是个聋子，我们没办法把她嫁掉，请你帮帮忙吧。"我说："我能做什么呢？这孩子是聋子啊。不过我会试一试，如果治好了，你的女儿很快就能嫁出去。"我接受了请托，相信神会帮助我来治疗这个女孩。

这对父母来找我之前，带女儿看过耳科医生，医生说："必须立刻开刀，因为耳朵已经阻塞百分之八十了，再拖上个把月会完全塞住，到时就一点儿机会也没有了。"这对父母是我的学生，我问他们为什么问题刚出现时，没有早早告诉我。他们认为瑜伽可能没有用，所以没吭声。我说："好吧，我有一位学生是孟买的耳鼻喉科专家，我送你的女儿去那儿检查，弄清楚状况。”医生检查之后说：“确实需要开刀。不过，如果艾扬格先生要收她，我可以等三个月。如果三个月之内能改善症状，就可以不开刀；如果他使不上力，就不要耽搁，赶快开刀。”

我接下了这个病人，开始教她。三个月之后，医生重新检查，她的听力有惊人的进步。西医无法相信这样的事。当初我接这个病人时，连我的女儿也很惊讶地说：“她的毛病在耳朵深处，你准备教什么呢?”

我治疗过耳朵发炎、发痒这类毛病，都没有问题。当然这次的情况比较困难，不过我勇于尝试，开始在她身上下功夫。我们大多数的人在做头倒立或其他倒立姿势时，本来是圆形的耳洞会变成椭圆形。如果成了椭圆形，你的头倒立就不对了。单单从这个例子你就明白教学必须多精细。这女孩做站立的山式时，我把手指插入她的耳朵，知道自己的手指进入多深。同样的，她做头倒立时我仔细观察，这时手指进入的程度应该比山式深一点。如果手指更深入了一点，表示她的头倒立是正确的，这使她完全平静而放松，所以耳朵的障碍消失，听力进步。我继续教她一些比较困难的姿势。我考虑到她的体型十分瘦长，所以犁式和肩倒立对她没帮助。耳朵开始通了，女孩告诉我她的耳朵有通的感觉。她的反应让我对许多体式有更深的了解。三个月之后，她去检查，医生很讶异地发现她的左耳完全通了，阻塞的右耳比先前进步了百分之十。女孩的父母说：“我女儿现在比较好了，还需要继续练吗?”我说：“为什么不试试再进步十个百分点？我的责任是帮助她的听力恢复到可以出嫁，嫁人后能听到丈夫的声音，那时我的责任就了了！”

有一天我在上课，这位孟买的耳鼻喉科医生来到班上。上课时，我把手指插到他的耳朵里，然后告诉他：“你的右耳不是听得很清楚。”他问我：“你怎么知道？”这就是学问啰。你得学会怎样插手指。耳朵的结构非常精细，我调整了他的耳朵，他说：“听得比较清楚了。”下课后，他说：“艾扬格先生，不是瑜伽治好了那个女孩，是你治好了她！”现在这个女孩右耳的听力进步到百分之四十，可以讲电话，可以跟任何人说话。所以我跟她的父母说：“赶快把她嫁掉吧！”

如何打通耳朵？我没办法解释。那不是很容易的事。你得知道怎么利用肩倒立来安置迷走神经，处理了迷走神经之后，你得处理耳朵的神经，这样才有改变的可能。可是另外有一个大胖子但耳朵很小的例子，他的耳鸣是身体结构的因素造成的。耳鸣的因素有很多，病人一定要到普纳来，我看了人，才知道我能做什么。我可能也会失败，可是我愿意担这个风险，原因很简单：我能从第一个病人累积经验，应用到下一个病人身上。即使第一个病人的病情没有改善，可是有了这次经验，我就知道怎么对治其他的人。我不能保证第一次会成功，可是我能保证下一个病人会有进步。

我刚开始教瑜伽时，是个什么也不懂的老师。当时在环境和学生的要求下不得不教，所以我十六岁就开始教瑜伽。我开始教瑜伽后，时常头痛、生病。学生的病痛转到我身上，我经常身上带着病痛做瑜伽。我自觉地学习那些病痛是什么，我自觉地学习别人的病痛，而且在教学生动作之前，我先自觉地用自己的身体来实验体式的效果，以及正确的和错误的动作。我是这样成为好老师的。

你只能教自身体验过的东西。如果你想用瑜伽的疗愈力量来帮助别人，必须全心投入这门学问，然后通过体验获得了解。不要以为自己已经懂了，而把一知半解的东西强加给上门求助的人。

记住，经验以及从经验得来的知识比听闻的、外来的知识好上百万倍。由经验而来的知识是自觉的、实在的；从外面学来的知识是间接的，可能会有疑点。所以要学习，实践，再学习，亲身体验，这样你就会教得有信心、有勇气又清楚明了。

第四部分

真我及真我之旅

回归种子

我们先前描述过瑜伽八分支犹如树的各个部位，从树根进展到花、果。人的灵性发展也可以比喻为树的成长，从种子到完全成熟。你无法在种子里看见树成长的品质，但它就藏在里面。人的种子是灵魂，我们存在的本质就藏在里面。个人的灵魂就是引发个人成长的因，就如种子引发树的成长。

种子撒到土里，一两天之后蹦出芽来，这个芽就是良心。心是器官，良是德行，或存在的本质；所以德行的器官称为良心。这个从灵魂蹦出来的芽给了我们第一个知觉——德性的知觉，一扇门。

种子打开后，长出茎来，就是心（chitta），或称为意识。从种子出来的那一根茎分出不同的枝——一枝是真我（the self），一枝是自我（ego）。真我是个体存在的觉知，它还不是自我，而是真我的觉知，是“我存在”（I am）的觉知。自我从真我而来，进入行动；只要不行动就是真我状态，真我一旦用行动表达自身，就成了自我。

意识逐渐发展成数个分枝，一枝是自我，一枝是智觉，一枝是心（mind）。树继续生长，又长出一些枝桠，就是行动器官和知觉器官，它们与外在世界接触而产生念头、波动、思虑、变化、调整。就像树叶和大气接触，我们的真我、智觉和心跟外面的世界接触，搜集信息以喂养意识的枝、茎或干与灵魂的种子。因此它们的作用就像桥梁，把身体的内外联系起来。

个人从种子发展出茎、枝到叶，是自然而然的过程。如果树叶一动也不动，表示没有交换空气，这样叶子会萎缩，树会干枯。叶子之所以存在就是为了滋养整棵树；同样的，认知器官和行动器官是用来补给内在身体的。不幸的是，我们经常忘了内在的身体，只关心外在的身体，因为我们只看外面的世界，不留意内在发生了什么事。我们看不见树叶从外在环境汲取养分，转化成经由树皮保护着的树液，来滋养树根和整棵树。

我们的行动器官和知觉器官之所以存在，是为了获得知识与思维，以培养智觉与自我，进而滋养真我和原始种子——灵魂，也就是那包含一切本质的因。一棵树从种子经由茎、枝、叶，一路往外发展，必然也有一条从叶往种子的回归之旅。你在练习体式时，感觉能量在系统内运行，你感觉到它如何运作、如何流动。在树的体内，能量从种子流向叶子；叶子与空气接触后，就把能量顺着来时的路径，经由枝、茎回流到根，于是根继续茁壮，以至开花、结果。

头脑在人体的顶端，如同果子在树的顶端。在瑜伽里，我们必须把头脑、心和意识变成客体。这不是排斥它们，而是磨炼它们。欧洲的哲学起于头脑这个思想的所在；瑜伽起于种子。根据瑜伽的说法，头脑是意识的外围，你得从外围往内移动走向根。由于我们太在头脑里面，和身体的其余部位失去了联系。

意识总是在我们的手指显现，只是我们多半的时间都没有觉知，所以手指的意识沉睡着。你应该知道意识和觉知之间的不同。意识存在于身体的每一个部位。行走时，如果脚踩到一根刺，结果怎样？它刺到你的脚，你马上觉得痛，所以你不能说那儿没有意识。可是在刺戳到你之前，你并没有特别去觉知脚。你脚部的意识沉睡着，就在被刺的那一刻，意识来到表层。是觉知唤醒了沉睡的意识。你的意识在身体里有一百七八十公分长——跟你的身体等长。可是觉知的范围就小多了，可能只有六十公分、三十公分、二公分或一公分。瑜伽修行者说，通过体式练习，你可以把觉知延伸得和意识一样长。这是完全的觉知，这是禅定。

当觉知消退，连带专注消退，智觉消退，意识也消退了。可是在你专心的时候，智觉是专注的，这种专注是心灵集中；当智觉和觉知都没有波动，而且持续不断，那就是禅定。因为这期间保持着不间断的观察，顺畅无碍的智觉，以及不消退的觉知，所以主客两体合而为一。在心灵集中的状态，主体和客体仍然分

离——因此，你得专注地让主体往内观察客体，或是把客体拉到主体。可是一旦主体与客体融合，而主体忘了自身，这就是三摩地。这时，我与我冥想的客体之间无有分别。主体客体聚合时，没有客体，也没有主体；那就是灵魂，那就是种子。

帕坦伽利的《瑜伽经》

练习者要了解瑜伽的深度是很困难的事。我们都知道，稳定心就是瑜伽。古代伟大的智者和瑜伽修行者在其著作一开始，开宗明义就说出教导的目标，接着清楚订出稳定心的方法，以便达到宁静。大约两千五百年前，帕坦伽利写下《瑜伽经》，共分四篇，一百九十六条经文，方法完备，只要依法修行，就能与自我统一。

经书开头的两句是："心若稳定，真我安居其中。"事情若如此简单，帕坦伽利尽可在此掷笔。可是他接着用一百九十四条经文详述达到这个境界的技术方法。他在开头说："心若稳定，真我安居其中。"可是心若不稳定、散漫、攀缘外物，真我即随心而去；真我若随心而去，就无法安居其中了。

帕坦伽利在第一篇描述心如何受外在声、色的吸引，而产生波动或念头。他根据习者个人的能力以及不同的修行程度，教导各种让心停止波动的方法，使所有的修行人都能达到身、心、灵统一的状态。

未经修炼的心因行为习惯而波动，所以帕坦伽利教导我们专注于宇宙神性，或呼吸，或通过修炼瑜伽而达到解脱的人，或任何与你相投的事物。练习者照着这些瑜伽方法修炼出安定的心。安定的心能够精辟分析，正确推论，或不受外在世界事物的干扰，既不分析，也不推论，而是保持安静。当经过修炼的头脑安静下来，就出现喜悦的状态，练习者在这个喜悦中体验到存在的本质。

两千多年前，帕坦伽利了解到头脑的重要。他描述头脑的前方部位是分析区；后方是推理区；底部是喜悦的所在（这恰巧和现代医学的发现吻合：脑袋底部的下视丘是快乐和痛苦的中心）；顶部则是创造区，或称为创造意识的所在，是存在、自我或自傲的源头，是个体的所在。

帕坦伽利介绍我们驯化头脑的方法，使头脑的四个部位变得顺服，如同手和腿一般的物体，可以保持安静。当它们安静下来，头脑完全没有活动，不再向外攀缘，变得开始向内探索根源。我们在睡觉时都体验过这种顺服，那时头脑不再运作，像个物体，人也失去自我觉知的能力。瑜伽哲学描述这种状态犹如灵性停滞状态，或灵性荒芜状态，人仿佛走到没有路标的十字路口，不知道要往哪个方向走；这也是个平稳、平和的状态。

帕坦伽利警告我们不要被这种安静、平稳网罗住，在它之上还有更高的意识，也就是良心的部位。如果你达到意识的平静而落入它的罗网，就掉入了瑜伽的陷阱里，也就失去了瑜伽的恩典。一旦停驻于此，把这想像为瑜伽的终点，你就失足了。你必须继续修炼，达到帕坦伽利所说的“照见灵魂”。所以从波动到稳定、从稳定到宁静、从宁静到照见灵魂，这是瑜伽的旅程。你必须以精进和信心来加强智觉，以度过意识的波涛骇浪，并且找到意识动荡的终点。当你达到这个境界，你的意识成熟，也就是智觉成熟，不再摇摆晃荡，这时你与存在的本质成为一体，这就是所谓的无种子识三摩地（seedless samādhi）。

这是帕坦伽利第一篇《三摩地篇》的结论。这一篇是为修行到达某种程度的人而写的。作者清楚阐明，这一篇不是写给一般人，而是写给修行达到某种境界、在所有处境下都能维持平稳的人。文中显示，这些经过修炼的灵魂如何能在存在中不断维持那种成熟完善。

第二篇是写给尚未修行或刚起步的人。里面谈到身体的烦恼，这些烦恼造成心的波动。身体的病痛会造成心的波动，所以对治身体的烦恼也就是对治心的波动。

我之前说过，瑜伽是整合，第二篇就在说明什么是整合。人是由三种实体构成的：因果体，包含灵性；精微体，包含生理、心理和智识；粗钝体，包含人体结构。精微体位在因果体和粗钝体之间，是联结身体与灵魂的桥梁。根据帕坦伽利的说法，这两体联结时，身、心、灵之间的对立就消失了。

我们在第二篇一开始读过，“热情”、“自我研习”和“敬奉神”这三个修行原则合起来构成实践瑜伽（《瑜伽经》第二篇第1节）。当身、心和感官都让冶炼的火焰燃烧干净时（热忱和自我锻炼从燃烧欲望开始），当通过自我研习而了解到真我时，只有到这个时候，人才能敬奉神。他放下自傲，生出谦卑，而唯有谦卑的灵魂才能行虔诚之道。

因此，帕坦伽利既没有轻忽实践之道或智识之道，也没有轻忽虔诚之道。这三条道路他都看重，原因很简单，因为他认为每一个人都是由三方面组成的：手脚用来实践，头脑用来思想，心用来敬奉。每一个人都必须依这三条路而行，没有哪一条比较高或比较低，每一条都有它特别的实践方式。

《瑜伽经》的第二篇叫《修炼篇》，谈论修炼。帕坦伽利描述了各种修行方法，个人可依自己的修行程度来奉行，它们就是瑜伽八分支：持戒、内修、体式、呼吸控制、收摄、心灵集中、禅定、三摩地。这些先前逐一讨论过。

第三篇叫《成就篇》，谈论瑜伽修行的丰富效果，由于这些瑜伽力量的诱惑，可能会干扰进化中的灵魂的和谐。帕坦伽利描述了修炼瑜伽可能会得到的能力，举出三十五种可能会经验到的效果，它们也是修行正确的指标。修行若是得法，就会经验到这些效果；若是完全没有经验到这些效果，就表示修行不得法。不过这些来自瑜伽的好处、珍赐也是陷阱，所以帕坦伽利也教导不执着。

糟糕的是，这些效果有时被形容成特异功能，其实根本不是。这些效果是因为修行瑜伽自然而然得到的灵敏力，但修行人可能因为这些成就而偏离正道，就像要逃离风的人反而被卷入了风暴。为了不要卷入那些看似特异功能的风暴，帕坦伽利教导我们：单单观察自己有没有那些特质，然后继续深入修炼瑜伽。

这些能力和珍赐是修行人的陷阱，正如物质世界的快乐和慰藉是常人的陷阱一样。帕坦伽利解释，犹如常人为去除烦恼而奋战，瑜伽修行者得到这些能力时也必须与之奋战，因为它们可能会变成心理上的烦恼。这些能力看起来像是特异功能，其实不是，仅仅是极巧妙的自然能力。当修行人发展出灵敏力和智识时，就会经验到这种灵敏力的效果，这些能力是正常的。虽然对还没有发展出这种灵敏力的常人来说，它们看起来是超能力，可是当你得到那种灵敏力时，这些能力对你来说是正常的。不过你得小心，因为这前所未有的经验会成为诱惑，就像独身的人会受到女人的诱惑。这些刚刚经验到的能力会是你的陷阱，使你偏离瑜伽真正的目标。这就是为什么你必须发展不执着。

当克服了痛苦与心的波动，修行人获得灵性上的能力和珍赐，这些也必须一一克服。唯有这些都克服了，才是纯净的灵性。当灵魂从身、心、能力以及成功的自傲等束缚当中解脱出来，达到“单独”（aloneness）的境界，这时身、心有如被隔离了，而灵魂得到自由。这就是帕坦伽利第四篇的主题：完全解脱。

呼吸控制

prāṇa 是“能量”的意思。宇宙能量、个体能量、性能量、智识能量，这些都是能量。甚至太阳和雨水据说都是因能量而来。能量是遍及宇宙的，渗入每一个个体，弥漫于宇宙各层面。所有的振动都是能量——热、光、重力、磁力、精力、力量、生命力、电力、生命、呼吸、精神，全都是能量的形式。能量是生命之轮的轴心。所有的生物皆从能量而出，依它而生。当生命灭亡，个体的气息化入宇宙大气。所有的生物都富有能量，它也是一切活动的原始动力。

能量和意识彼此不断联系，如同双胞胎。根据瑜伽经典的说法，只要呼吸稳定，能量就稳定，心也因之稳定。当能量和意识安静、稳定、宁静之际，各式各样的振动与波动都静止下来。

印度瑜伽智者知道呼吸与意识之间的关联，故而提倡呼吸法，它是瑜伽的核心。古籍并没有解释能量如何在系统内释放，不过有一个很棒的传说，我拿来象征能量运作的过程。我在本书的第二部说过这个故事，现在我要更仔细说说。

相传几千年前，魔鬼与天使大战，魔鬼非常强大，用蛮力逐渐摧毁宇宙。天使担忧天下将无道法，于是求助创造之神大梵天。然而大梵天说，他无法可施，因为魔鬼的力量就是他给予的，因此建议天使去找湿婆天。可是湿婆天说："我也帮不上忙，因为是我祝福他们，并且赐他们长寿的。"于是大梵天和湿婆天双双去找毗湿奴。

毗湿奴听了原委，想了一想，跟天使说："去跟魔鬼说，'我们来搅拌海水提炼长生不老药，提炼出来的药我们分吃了就可以长生不老。'等到仙露提炼出来后，交给我来分配。"魔鬼和天使讨论之后，同意合作提炼海水。

他们需要一根搅拌棒来搅拌海水，于是借来美露山当棒子。他们还需要一条绳子来转动棒子，毗湿奴就说："拿我的仆人蛇王去吧。"蛇王遵旨，对魔鬼、天使说："你们可以把我当成绳子来转动美露山。"

他们把陆地上的树木、蔓藤、青草及各种素材投到海里，以便搅拌、混合后提炼出长生不老药。这些素材代表人体的五种元素，就是地、水、火、风、以太。魔鬼比较强壮，抓住蛇王的头，天使抓住尾巴，大家开始搅拌。搅拌代表人的吸气和吐气。正在搅拌之际，那个当作搅拌棒的美露山由于太重而沉到海里，大家就没办法再搅拌了。天使向毗湿奴祈祷，于是毗湿奴化为乌龟爬到底下驮起美露山，大家才能继续搅拌。故事里化身为乌龟的毗湿奴代表观照者，或是我们每一个人的灵魂，是宇宙灵性的一分子。灵魂的梵文是puruṣa，pura 有堡垒、城堡、城镇、房子、居所或身体的意思，īśa是主人、所有者。所以灵魂是身体的主人，身体是灵魂的居所。故事中美露山的底部代表横膈膜，它的位置在灵魂居所的上面。美露山代表胸部，搅拌代表吸气和吐气，蛇王代表身体里重要的能量通道中脉，蛇头和蛇尾分别代表左脉和右脉，这部分我在下一篇会详细说明。

搅拌之际，最先提炼出来的是致命的毒药。湿婆天慈悲为怀，为拯救人类免于灭绝而喝下毒药，他的脖子变成湛蓝色。接着，从海里提炼出一些宝石。最后，是长生不老药——仙露。

当仙露提炼出来时，毗湿奴化为曼妙美女，在舞蹈中单单把仙露分给天使。如此一来，世界复归于道法。同样的，我们呼吸时，先吐气排出身体里的毒素，然后从大气吸取仙露。

我们身体里有五种元素。负责制造长生不老药的是地元素。风元素吸气、吐气的功能如同搅拌棒，以太负责分送。以太是空间，它的特质是收缩和扩张。吸气时，以太扩张，把气吸进来；吐气时，以太收缩，把毒素排出去。

剩下水、火两元素。如果有火，就以水灭火，这给我们水火不相容的印象。在地、风、以太三元素的帮助下，水元素和火元素之间产生摩擦，这个摩擦不仅会产生能量，还能释放能量，就像水力发电场利用水在涡轮里流动的力量制造电力一样。水必须

以某种速度流动才能发电，水流不足则无法发电。同样的，在我们的身体系统里，一般的呼吸无法产生强大的能量，这就是为什么我们受压力和紧张之苦。压力、紧张造成循环不良，影响我们的健康和快乐。所以能量不足使我们仅仅只是存在着，而不是活着。

我们练习呼吸控制时，使气息变得非常长。火元素和水元素在这种方式中聚集在一起，这两种元素在风元素的辅助下，在体内接触后释放出新的能量，瑜伽修行者称为神圣的能量，这是能量中的能量。

prāṇa，是“能量”；āyāma 是“能量的储存和分布”。能量的储存和分布有三方面：垂直伸展、水平伸展，以及周缘伸展。通过呼吸控制，我们学着把能量往身体的周边做垂直、水平和周缘的移动。呼吸控制是人的心理机能和灵性机能之间的桥梁。犹如生物热能是我们的生命枢纽，呼吸法则是瑜伽的枢纽。《奥义书》（*Praśna Upaniṣad*）说，“意识和能量是孪生子。”《哈他瑜伽之光》里也说了类似的话，“心在哪儿，呼吸就在哪儿；呼吸在哪儿，心就在哪儿。”若能掌控呼吸，你就能掌控心；反之亦然。所以你应当学习用呼吸法使呼吸有规律。不过练习呼吸法要小心，因为它会成就人，也会伤人。如果你的心跳不平稳，恐惧袭来，随时可能有性命之忧。同理，呼吸法若是做得没有规律，能量不增反减。

糟糕的是，常常学员还没有适当的基础，老师就教以呼吸法。《哈他瑜伽之光》说，“当修行者精通了体式，能掌控身体后，可在上师的指导下学习呼吸法。”帕坦伽利在解说瑜伽时，平铺直叙瑜伽修行的八个阶段，以持戒为始，三摩地为终，并没有强调顺序，例如他没有说练习收摄之前应先持戒，或者内修应先于体式。但是当他开始教导呼吸法的技巧时，特别说道：“只有精通、熟练了体式之后，才能尝试呼吸法这种调节吸气、吐气和止息的学问。”（《瑜伽经》第二篇第 49 节）

经文接着说明，吸气、吐气和止息必须做得精准。帕坦伽利说：“Bāhya ābhyantara stambha vṛttiḥ deśa kāla saṁkhyābhiḥ paridṛṣṭaḥ dīrgha sūkṣmaḥ”（《瑜伽经》第二篇第 50 节）。这段经文非常重要，值得仔细推敲。bāhya 意指“外在的”或“出息”，ābhyantara 意指“内在的”或“入息”，stambha 意指“控制”，vṛtti 意指“变动”；所以这段经文的前半句是说，“控制出息和入息的变动”。

接着，kāla 意指“时间”，deśa 意指“地方”，sāṁkhya 意指“数目”，paridṛṣṭaḥ 意指“调节”；所以后半句是说，“呼吸必须在时间、空间和次数上调节得很精准”。糟糕的是，老师教你呼吸时数八个数或十六个数时，你很容易忘了经文的最后两个字。dirgha 意指“长”，sūkṣma 意指“精细”；我们容易专注在长度上，却忘了精细度。在计数时，气息的流动不该有任何改变；吸气和吐气应该长而柔，平顺而没有阻碍。

stambha vṛtti 是“控制变动”。当体内所有的细胞、心，或承载灵魂的任何容器都没有了变动，这就是止息（kumbhaka）。《哈他瑜伽之光》说到两种止息：肺部饱满的（吸气）止息与肺部清空的（吐气）止息。经上说，我们要学着在不干扰身体的情况下导引入息和出息。

帕坦伽利还说到四种呼吸控制法：第一种是吸气；第二种是吐气；第三种是吸气后止息和吐气后止息；第四种是通过精通体式之后，刻意的呼吸变成自然不着力的呼吸。起初，呼吸控制法是刻意的努力。然而唯有练到自然不着力的地步，才算是精通、熟练了呼吸法。这是纯净的止息；也就是说，止息是自然而然、不刻意造作地发生了。在纯净的止息中，没有念头，内外都没有念头。在纯净灵性的呼吸法里，除了单独，你没有任何念头。

呼吸控制是物质世界和精神世界之间的结合点，而横膈膜是生理和灵性的相遇面。如果你憋住气，一会儿之后，你的心往下沉，这不是止息。甚至在数着一、二、三、四的时候，你就失去了神圣性——失去了平和。记住，止息不是憋气，而是守住能量。止息是实现存在的核心，因为那时存在的核心已经被带向身体。于外，你没有念头；于内，你也没有念头。你控制了内外的变动。你明白在那个宁静中没有念头发生。当你完全没有念头时，心在哪儿？心与真我融合了。

《哈他瑜伽之光》说，通过呼吸控制，你有意识地去经验与真我合一的状态。当你里面统一了，就成为人中之王，这是不可分割、绝对的存在状态。

诚实，不需要智力过人；不诚实，反倒需要处心积虑发挥头脑。生命因为我们的所作所为而变得复杂。真理却是单纯的，所以生命可以变得单纯。把复杂的心回归单纯，是瑜伽的目标；而单纯来自修习呼吸法。

头脑里净与不净的意识老是在那儿角力，就像搅拌海水。同样的，内在的智觉（心）与头脑的智力在那儿搅拌不休。黑暗的罩子盖住了头脑的意识，乌云若是盖顶，你就无法看清。练习呼吸法可以除去脑袋里的乌云，使我们豁然开朗，在正确的时机看到事物的真相。通常我们不是看对事情而时机不对，就是时机对了却看错事情。心若散漫不定，试着把吐气放慢、放柔一段时间，让意识随着气息流动，如此波动会平息。你的心变得单一，对立的心消失了，这时你的心适合静坐冥想了。

吸气，是真我来和身体接触。因此，吸气是灵魂展开迎向身体，是灵性的宇宙气息来和个体的气息接触。

吐气，从身体健康的角度来看，是排出体内的毒素；从心理的角度来看，是把心静下来；从灵性的角度来看，是个体的气息与外在的宇宙气息接触，使两者成为一体。

吐气是放下自我。它不是排出空气，而是自我以空气的形式排出。吐气时，你变得谦卑；吸气却会生自傲。呼吸控制若是练习不当，也有灵性上的危险。自认为“我能屏息一分钟”是种自傲。学习呼吸法，就是学习并且了解：从执着到不执着，从不执着到执着的变动。

能量与恩典

我们谈过能量，现在来研究左脉、右脉和中脉，这是我们身体里三条重要的能量通道。它们有生理上的意义，还有心理上的意义。

以生理来说，右脉对应于交感神经系统，左脉对应于副交感神经系统，中脉对应于中枢神经系统。太阳是能量的制造者，瑜伽修行者知道右脉是太阳通道，起于太阳神经丛。左脉是月亮通道，源自头脑。《哈他瑜伽之光》里说，左脉的特性是冷静。根据现代医学的解释，它和头脑底部负责维持体温平衡的下视丘有关。所以下视丘是月亮神经丛，左脉从这儿往下延伸；右脉则从太阳神经丛的位置往上延伸。

交感神经系统与副交感神经系统之间有极大的关联。医学说，如果交感神经活络，副交感神经就沉寂；如果交感神经有毛病，副交感神经就提供能量，让身体机能维持平衡。瑜伽修行者也说，左脉和右脉一起工作，一热，一冷。一个像太阳，带有太阳的能量；一个像月亮，带有月亮的能量。若是一天二十四小时都有太阳，世界会是什么样？人类会有什么样的命运？我们会全部死亡！月亮传送的只是反射自太阳的能量，具有冷却的效果。这就是为什么有日夜。我们的身体也是类似的情形。当右脉太活跃，左脉就说："热能在增加，让我发挥作用吧。"这也对应了交感神经和副交感神经系统的作用。

左脉和右脉结合，如同火和水融合，会产生新的能量，这是中脉的能量，就是拙火（kuṇḍalinī）。中脉对应于中枢神经系统，这个由左脉和右脉融合而产生的神圣能量，在生理上被视为电子能量。

交感神经和副交感神经系统跟呼吸系统一样，是半随意、半不随意的。常态呼吸是自发的，但是我们也可以控制它。同样的，借着体式的各种动作，你可以增加交感神经系统的能量，或是增加副交感神经的能量。中枢神经系统没有办法用这种方法增加能量。你没办法说："我来增加我的电子能量。"不过，左右两脉的能量融合产生新的能量储存在体内，能释放出电子能量供给中枢神经系统。这股能量通过中枢神经系统供给身体的每一个部位。

中脉无所不在，不单单在脊椎里，因为中枢神经分布全身。假设你做一个体式伸展食指，如果食指的外侧伸展多些，内侧伸展少些，这表示太阳能量强些，月亮能量弱些。你必须把注意力放在月亮能量上，这样过多的太阳能量就会抵消。借着练习体式，太阳、月亮两股能量达到平衡，并且均匀地在系统里运行时，它们会抵消，练习者会有新的感受，觉得有一股新的能量在两者之间运行，这就是中脉的能量，它在整个身体里运行。

这是左脉、右脉、中脉在生理层面的诠释。现在我们来看看心理层面的说法。想想泥土的本质。泥粉是原始材料，以它做出各种形式的器物：罐子、瓶子或碗，所有这些器物都是由泥粉做的。如果你想改变形状，必须先打破某个器物，把它回复到原始的泥粉状态，才能设计新的东西。根据帕坦伽利的说法，“抑制心的变动”（chittavṛtti - nirodha）不是瑜伽，只是瑜伽的初阶。chittavṛtti 意思是“意识的变动”——意识能化为各种形式，就像泥土能捏成各种形状，黄金能制成各种装饰品，如手镯、项链、耳环、鼻环、脚环等等。若是要把脚链改成手环，必须先把脚链还原成黄金，就像泥罐必须先还原成泥粉，才能再捏一个新的器皿。同样的，如果你想要了解什么是真我，必须先了解意识的本质，而不是意识变动的本质。

vṛtti 意为“变动”，nirodha 意为“抑制”，chitta 意为“意识”；所以这句梵文的意思是“抑制意识的变动”，而不是抑制意识本身。除非停止变动，否则你如何明白泥粉或黄金的本质，以及泥粉如何捏塑成各种形式？你必须回到因，就像泥粉是泥土制成器皿的因，黄金是制造各种金饰的因，意识也是如此，意识是意识变动的因。

通过抑制意识的变动，在无念与有念、在空与实之间产生了空隙。观察它。观察这两者之间的空隙，你明白了“意识的变动”和“意识”本身是不同的。帕坦伽利说，当意识安静下来，进入专注的冥想状态，通过体式、呼吸控制、收摄和心灵集中，意识明白它本身没有光，因为它不能同时作用又目击。意识依赖灵魂之光的反照，这是意识特质的微妙。

帕坦伽利在《瑜伽经》第一篇论及意识的波动，可是并没有谈到意识的主要特性——意识到底是什么。他只有在第四篇解释了意识的主要特性，说意识就像月亮，本身没有光。意识明白自身没有光，是依赖他者的光源，它明白自己的光是从存在的核心那儿借来的。心，从灵魂借来光，如同月亮向太阳借光。

意识过去一直以为自己是主体，现在明白自己本身没有光，光是从灵魂那儿借来的，故而顺服于灵魂。意识的波动就停止了。如今抑制是自然而然发生，所以头脑安静下来，变得清静。头脑停止以我为主的行为，变成客观的、顺服的、接受的。头脑一旦转化成客体，智觉就平均地散布全身。这表示我们的左脉和右脉（月亮和太阳）达到平衡，并由第三种能量取而代之，那是中脉神圣的力量，就是拙火。

《哈他瑜伽之光》说，拙火唯有在恩典降临时觉醒，除非恩典来临，否则一切努力都是徒然。帕坦伽利的看法又是如何？他说，你不知道恩典何时降临，所以必须准备好一切，当它来时，你才能领受。他说：“要身体健康，心理稳定，灵性备妥，来领受它。”

帕坦伽利解释得很明白，行动器官、知觉器官、心、智觉、意识，这些天生的工具都是用来服务灵魂的。如果你知道如何使用，它们就是你的仆人。这些工具犹如朋友可以帮助真我。可是如果你的真我不知道如何使用，它们就变成真我的主人，也就是造成烦恼、波动、困扰、不快乐的原因。这就是帕坦伽利说的，“落入世界的罗网”，以及“得到神圣的力量”。

体式和呼吸控制是创造和维持拙火这股神圣能量的泉源（拙火等同于宇宙能量）。若是心的内在能量能够和外在的能量合一，那么不会有灾难接近你。你就是神圣的个体，能领受那个光而不受伤害。可是如果你的内在能量不够强壮，通过瑜伽而来的神圣能量反而会带来不快乐，或干扰身体的平衡。所以你必须准备自己，当神圣的光来临时，你的身、心、神经都有能力承受。我们说过瑜伽的疗愈过程，但是不要忘了，瑜伽除了是疗愈系统，也是预防系统，这儿所说的不仅是身体，也包含心和灵魂。

老师在学校里教学，所有的学生都听到相同的话，甚至笔记的内容也一样，可是大家的成绩并不一样，有人优等，有人乙等，有人丙等，有人不及格。他们听到的东西都是一样的，也都很用功，可是理解的东西不同，没有人知道谁会得到优等。拙火的力量就像成绩。有人刚好及格；即使你不修炼瑜伽，有时神圣之光也会降临，就像刚巧及格。可是你若是多努力一些，就多得到一些；若是非常努力，得到的就更多。这种能量必须努力赚取，当时机完全成熟，就像树木结果。整棵树的精华在果实，同样的，你整个修炼的精华，即包含在拙火这神圣的能量里。

在瑜伽教室里，可能因为老师碰触你，你接收到老师的振动，而得到这股能量。这有点儿像碰巧及格。不过那能量是暂时的，还是永远的？如果只是暂时的，就得努力用功把它变成永远的，那么这个神圣的力量就会永远在你里面。

如果身、心、神经及智觉的健康都完全成熟了，那个光会永远持续，否则就会时来时去。有些树结果，有些树不结果。有些树结的果实好吃，有些树结的果实是酸的，甚至同一棵树上的果实有的好吃，有的不好吃。神圣的拙火是树的果实，靠你的修行以及恩典而来。所以努力用功去得到它；若是来了，好好把握住。少了神圣的恩典，唤醒不了神圣的力量。你或许有得到它的意志力，但是没有恩典，它不会来。所以我说你必须好好把握。如果恩典来了，继续修炼，不要让它消失。

禅定和瑜伽

禅定是无法用言语表达的，必须以个人的生命直接体验。禅定也无法教授。若有人说他在教禅定，你马上就知道这个人根本不是瑜伽修行人。

禅定是没有傲慢、不自大地把复杂的意识领往单纯。没有道德纪律，就不可能有灵性体验。培养道德和灵修并行，才能尝到神圣的仙露。因此，人若要走灵修的路，持戒和内修这些道德训练是必要的。

我们之前把瑜伽分为三个部分。持戒和内修是一部分，体式、呼吸控制和收摄是第二部分，心灵集中、禅定和三摩地是第三部分。持戒和内修是锻炼行动器官和知觉器官，它们是全世界共通的，并不是印度特有的，也不单单只跟瑜伽有关系，它们是人类必须维护的基本事物。鸟要有两只翅膀才能飞，同样的，人要攀爬灵性智慧的阶梯，道德和心的锻炼是必要的。

进化必须从这些基础起点开始。瑜伽科学提供了体式、呼吸控制和收摄让个人进化。这三种方法是瑜伽的第二阶段，是要下功夫的。

第三阶段包含心灵集中、禅定以及三摩地。这三支是修炼体式、呼吸控制和收摄的效果，本身是不涉及修炼的。因为修炼有极大的不同，所以效果也有极大的不同。如果你工作两个小时，就拿到两个小时的酬劳；如果工作八小时，就拿到八小时的酬劳；如果你表现得积极进取，可能会加薪。生意就是这样做的。心灵集中、禅定和三摩地也像这样。如果你努力修炼体式、呼吸控制和收摄，就会得到心灵集中、禅定和三摩地这些报酬，这些就是修炼的结果。你没有办法直接修炼心灵集中、禅定和三摩地，如果你说自己在修炼心灵集中、禅定和三摩地，那表示你不明白瑜伽前面的部分。我们唯有修炼了前面的部分，才有希望得到结果。

帕坦伽利对体式的效果有什么说法？他说："身、心的对立消失了。"（《瑜伽经》第二篇第 48 节）。他对呼吸法的效果有什么说法呢？他说："遮住知识之光的盖幔除去了，心变成适当的器物来专注。"（《瑜伽经》第二篇第 52 ~ 53 节）什么是收摄的效果呢？他说："通过收摄，感官不再为了满足自己的欲求而纠缠心；感官从外在世界收摄回来，帮助心往内在探究。"（《瑜伽经》第二篇第 54 节）所以说，体式、呼吸控制和收摄这三种修炼，把习者引向心灵集中、禅定和三摩地的境界。帕坦伽利创造了一个特别的字来描述心灵集中、禅定和三摩地合一的状态，就是三耶摩（saṁyama），也就是“完全的整合”。

心灵集中的意思是专心或专注，是把专注的焦点放在身体内外一个特别选择的路径、部位、点或地方。心灵集中是把意识专注在单一的焦点上，来控制意识的波动。在这个修炼过程中，人学着渐渐减少心的波动，最终除去意识的所有波浪潮汐，使知者与所知合而为一。当意识在强而有力的觉知中持续这种专注，没有改变或波动，就从心灵集中的状态进入禅定。

把油从一个瓶子倒入另一个瓶子，瓶口的油不间断地稳定而均匀地流着。同样的，专注与觉知之流也应当如此稳定而不间断。这种稳定的觉知就是禅定。禅定是发现比较大的真我的方法，是自我研习、观察、反省，与观照隐藏于内在之无限的学问。它从观察身体的过程开始，继而密切注意心的状态，接着融合头脑和心的智慧以深入探索深邃的冥想，借着深邃的冥想，意识与禅定的对象融合，这个主体与客体的结合，使得复杂的意识变为单纯，并映照着神圣的光辉。瑜伽的效果就是，你被知识之光点燃，以纯真毫无傲慢的心维持自身全然的纯净。这是瑜伽的智慧之美：它是纯真没有傲慢的智慧。这是禅定的效果：自傲、自大和自我转化成谦卑和纯真，从而导向三摩地。

灵魂从居所之中心均匀地散布到整个外围，就是三摩地的意思。三摩地不是出神。人进入无意识的失神状态是三摩地吗？如果是这样，三摩地就一点儿意义也没有。三摩地的定义是：保持意识，并且体验到睡眠状态。这是什么意思？睡眠中，你什么也觉知不到，只有在醒来的时候，你说“我睡得很好”，那个在你里面说“睡得很好”的你，是观照者，就是灵魂。瑜伽修行人试着百分之百有意识地维持心、智识、意识、行动器官和知觉器官的驯服。我们的意识有三个层面：潜意识、意识和无意识。瑜伽修行者把意识的这三个层面归为单一的意识状态，称为超意识（super-consciousness），其中没有潜意识，也没有无意识，只有意识，这是三摩地。它不容易达到，因为我们甚至还不能穿透这三层意识。我们得慢慢来，在跳到不知道、不明白的事物之前，先从明显易见的事物开始，然后朝隐而不见的目标努力。

我说过，瑜伽是相和、相会、结合的意思，也就是把上天给我们的身、心、灵结合起来的意思。个体在身、心、灵之间有极大的分裂，古圣先贤流传下来的瑜伽学问可以把这些受干扰的真我的工具结合起来，这样人类就可以发展出民胞物与的一体感。

为什么印度有六亿人口，却很少人对禅修有兴趣？相反的，为什么许许多多的西方人对禅修有兴趣？因为西方人不能控制神经，总是有压力，我的同修用瑜伽来对治这个问题。对西方人来说，工作是压力，睡觉是压力，上厕所也是压力！你们几乎总是处在压力之下，所以传授给你们的是所谓的放松的禅修。你们通过禅修沉静下来一阵子，就认为达到瑜伽的目标，或者认为自己的拙火觉醒了。东方人比较放松，要他们练这种禅修没有意义。相反的，他们必须学得积极、活泼些，所以瑜伽对东方人成为积极、活泼的禅修。

常常听人说“我在修禅定”，他们认为可以把禅定从瑜伽修行里抽出来，单单修禅定就好了，不用理会之前的持戒、内修、体式、呼吸控制和收摄。别忘了，从高山流向大海的河流是一脉贯通的，河水会蒸发形成云朵，再变成雨水回到河流。同样的，身体之流、头脑之流和心之流，全都是一体的，从灵魂流到皮肤，再从皮肤回到灵魂。你能说你只对一段河流有兴趣，而对其余部分没兴趣？就像百川汇集成大河后流向海洋，整个人体系统也是如此汇集成一条河流，从灵魂流到皮肤，从皮肤回到灵魂。

你怎么能说“我对心之流有兴趣”，或说“我对灵魂之流有兴趣”，却忽视身体之流？你怎能丢弃瑜伽的某些部分，认为那些不过是身体层次的东西，而禅定是灵性的？禅定不能和瑜伽分割，体式也不能和瑜伽分割。如果你接受禅定这一部分，如何能丢弃体式、呼吸法、持戒、内修这些部分？如果你丢弃这些，何不也丢掉禅定？

身体有四肢，你忽略哪个部位？照顾哪个部位？我们的身、心、头脑，每一个部位同等重要。瑜伽也一样，你不能切割瑜伽八分支，说：“这个重要，那个不重要。”瑜伽里的每一支都同等重要，许多人却误以为只有禅定最高明。

观察一棵树，可以知道它的根健康或有病。你我并不是古代修行有成的圣者，无法透视树根、种子、存在的核心，可是你我必须观察外围（身体及其功能，头脑及其功能，心及其功能）。我们能从这些外层进入深处，进而明白自己存在的根，并且发现那个根是不是健康。

瑜伽的学问始于行为规范，以建立道德、身体、心理和灵性的品行。不认识英文字母，是不可能学习英文读写的。同样的，不知道持戒、内修、体式、呼吸控制、收摄、心灵集中、禅定这些瑜伽的基础，就不可能住在真我的居所里。因此，我要求大家从外围开始，去了解瑜伽的深度，这样你们才能进入种子。只有极少数特殊的人，能从存在的核心开始。

禅定的本质

禅定是整合——把人分裂的部分重新变成一体。当你说你的身不同于心，而心不同于灵，这表示你把自己分裂了。如果有什么使你的身体与头脑分离，头脑与心分离，或心与灵魂分离，禅定如何把你整合回归于一体？

如果闭上眼睛且保持安静就是禅定，那么我们所有的人每天睡觉八到十个钟头都在禅定啰。为什么我们不称那是禅定？睡觉时是安静的，不是吗？睡眠中，心是静止的，可是我们不会说睡觉是禅定。可别上当了，禅定没那么简单，它可是像大学课程。赛马时，许多匹马在跑，但是只有一匹马得到奖杯。同样的，我们都在禅修，但是胜利的标杆远得很，因为我们尚未克服我们的感官、心、智识。

禅定中有三种变化发生。帕坦伽利在《瑜伽经》开宗明义指出，“心稳定即瑜伽。”接着他说，当一个人试着稳定心，心里会升起新的念头或想法，而形成对抗。抑制的念头与升起的念头碰在一起，就互相角力。当念头被抑制了一会儿，一些新念头会在隙缝里升起。我们当中有多少人能抓住抑制念头与念头升起之间的那个空隙？抑制念头与念头升起之间的空隙是片刻的默然（passivity），那个片刻是宁静的状态，人若能增加那个停顿，增加那个抑制念头与念头升起之间的空隙，就转化到经验三摩地的状态。

正如你所想的，念头抑制本身不是三摩地。当你能增加抑制念头与念头升起之间的空隙时，会经验到禅修的第三种状态，就是专一集中（ekāgratā - pariṇāma）。或许你没听过帕坦伽利描述禅定中的转化：从抑制到宁静的状态，从宁静的状态到专一、无间断的觉知状态（《瑜伽经》第三篇第9~12节）。

pariṇāma 的意思是“改变”或“转化”，nirodha 的意思是“抑制”，ekāgratā 是复合字，字面上的意思是“专注”。当散漫的心进入抑制的状态，这是专注（ekāgratā）或心灵集中（dhāraṇā）。dhāraṇā 有“保持”的意思，但是要保持什么呢？它有“专注”的意思，但是要专注于什么呢？帕坦伽利说，当你学会实际感受到抑制念头和念头升起之间的空隙，并且延长那个空隙，你就到达 ekāgra。eka 是“一”，āgra 是“根基”。那么 ekāgra 是什么？它是存在的核心——灵魂。

ekāgratā - pariṇāma 是心、身和能量完全对准“一个根基”，就是那个存在的核心。灵魂紧紧吸住每一个分子，犹如磁铁紧紧吸住铁屑。当你真实感受到这个延长的宁静状态，升起的念头和抑制的念头在此告终。当静止念头升起与抑制的过程达到极点，意识和智觉紧紧吸附着存在的核心。我们的能量、智觉和意识完全结合为一体，跟存在的核心紧紧绑在一起，这是禅定。我们当中有多少人有这样的灵敏力能达到这个程度？我们真的灵敏吗？

我们通过瑜伽练习获得觉知。你若是在日常生活中无法维持那个觉知，表示你里面有障碍。觉知是怎样改变的？它是怎么消失的？若无乌云阻挡，我们能清清楚楚看见圆圆的太阳。唯有乌云在前，我们才看不见太阳。那么觉知是什么？它是闪耀的智觉之光。除非有物阻挡，否则它怎么会改变？除非念头升起，否则觉知怎么会减弱？

禅定就像天气。昨天没有太阳，今天太阳出来了。昨天是怎么了？昨天是阴天。这表示太阳不在那儿吗？太阳当然在那儿，只是有乌云挡在太阳和我们之间。今天，云散了。禅定就像这样。《瑜伽经》第二篇第52节说，“遮蔽知识之光的盖幔去除了”(Tataḥkṣīyate prakāśa āvaraṇam)，āvaraṇam是“被遮蔽”的意思，所以光被念头遮蔽了。念头遮蔽了灵魂，犹如乌云遮蔽了太阳，使得阳光无法穿透。灵魂不能静修，犹如阳光无法射到地面。今日阳光普照大地，因为乌云不再。同样的，我们必须找出是什么干扰了我们的禅定，我们的心是如何作用的，意识是如何反应的，智觉是如何反应的，我与纯净的灵魂之光之间生出了什么念头，我与觉知之间生出了什么念头，内外之间生出了什么念头。

当我们觉知内外，就可以经验到禅定和身体的行动是没有分割的，也就是身、心、灵之间没有分歧。

你静静坐在公园，可以修炼禅定，发展觉知，这难不倒你。可是当你忙于工作时，生活受到念头的左右，很难有完全的觉知。你在练习体式、呼吸法、收摄时，学着完全觉知——你在投入动作时，发展出全身的觉知。那么，你在所有的处境里都能变得完全觉知。你在公园里望着树，忘了自己，和宇宙合而为一。为什么你不能学着和自身这个宇宙（也就是说，你的真我和你的身体）合而为一？这种观察日常生活的方式是完全的觉知，完全的整体和禅定。

禅定的人超越了时间。或许很多人不知道时间是什么。我们都知道“瞬间”这个词。瞬间是不动的，是固定的，可是我们的心看不见这个瞬间，心只能看见连续瞬间所产生的变动。我们看见像车轮辐条一样连续不断的瞬间；瞬间是轮子的轴心，瞬间合成的变动是四射的辐条。在禅定中，智觉完善的人活在当下，不会陷入瞬间连成的变动。

瞬间的变动显见于念头的觉醒、升起、抑制之间。智觉完善的人试着活在瞬间当下，不陷入念头升起、消退的变动。变动是过去和未来，瞬间是当下。习者调伏他的心、智和意识活在当下。当每一个瞬间移向下一个瞬间，他与瞬间同行，而不是跟着变动走。那就是禅定。

你观察过火车轨道吗？火车的轮子跑在两条平行的轨道上。我们把一条轨道想成是有思之流，另一条是无思之流，在人这个机器里，也有有思之流和无思之流，我们的心就在这两条轨道上奔跑着。瑜伽修行者知道如何维持两条轨道平衡，并且保持自觉的无思，而非有意驾驭思维。只要他保持自觉的无思，心里就不会生出第二个念头。在他单纯无思之际，这时就像轨道接合板定住轨道，使两条轨道在等距下顺利前行。当然有时候会有意外。同样的，有思与无思的状态若是均衡而平行地前进，就是单一的念头，这时你就活在当下。若是一个螺丝帽松脱了，你的专注或觉知有了些微的改变，那么意外就发生了。意外可能是心理的干扰或障碍。所以你必须把自己维持在自觉的无思状态，在这条轨道上不能有螺丝帽松脱。

帕坦伽利说，能除尽烦恼的人就是神，不受行动的影响，永远清纯如新。他的行动不会引起反应，并且超越苦乐。解脱者是经历人生的烦恼而能除尽烦恼的人。当然，这样的人不能成为神，或是所谓的神人（God - man）。我们无法变成神，不过，我们能变得神圣。在这种生命的神圣中，属世的快乐和属灵的快乐平衡发展。唯有智觉与灵魂之光平等的人才能达到生命的神圣，唯有他能知道禅定的意义。他是深入禅定的人。你我在禅定的路上奔跑着，尚未达到目标。

从身体到灵魂

瑜伽到达极点时，身体的束缚就解脱了。许多人以为单单用禅坐，在和身体没有联结的方式中，就能达到这个境界。只有当事人明白自己在禅坐中经历到的是孤绝，或完全的单独，或是圆满。我主张必须要通过练习体式和呼吸法来循序进入，所以有人称我是“瑜伽运动员”，好像我不认定瑜伽的最终目标是照见灵魂！我自己是通过体式的演练，变得完全投入，进而达到身心灵一体。对我来说，它是动禅（active meditation）。

有时候体式被形容为体操运动，这是相当错误的说法，因为体式（āsana）是姿势的意思，做出姿势之后，还要反省，以及反思姿势。体式不单单是运动而已，你必须观察皮肤纤维精确地和肌肉纤维平行伸展，这样动作和知觉合在一起，心才能感受有瑜伽，有接触。瑜伽是结合、联结的意思，练习体式时，如果心（通过皮肤这个知觉器官）不在当下，那么就仅仅是身体运动。

我们来看看古籍里描写的瑜伽修炼的四个阶段，就会更清楚。《哈他瑜伽之光》、《湿婆本集》（*Śiva Saṁhitā*，另一本哈他瑜伽的重要经典）和帕坦伽利都说，瑜伽修习者有四类。

初学者，心总是在身体的表层奔波。这个阶段你必须努力练习心灵集中（专注）。你的心四分五裂，不知道要做什么，所以我们教导初学者去觉察身体的各个部位：首先观察脚，然后脚踝，把脚踝和脚连起来；接着观察膝盖，把膝盖到脚踝连起来，再把膝盖到脚连起来；然后往上观察臀部，把臀部到膝盖、脚踝和脚连起来；然后是躯干的下半部、躯干的上半部；腋窝、颈部、脸等等。教导体式时，我们用这种方法把分裂的专注变成单一的专注状态，发展出广大而多重的智觉。不过，这仍然是在身体的表层用功。

第二个阶段是训练心去感觉行动。我们在第一个阶段只要求学生专注身体不同部位之间的彼此关联。现在我们要学生“在动作的时候感觉心，心有跟着你的身体移动吗？还是心没有移动，只是在那儿观察、留意着？”我们在这个阶段要学生“跟着心走！让手指跟着你的心走，膝盖也跟着心行动。”一种是，身体的不同部位移动时心要到；一种是，心要跟着身体移动。这两种是不同的。第一个阶段是初学期，第二个阶段是身体期。你在初学期

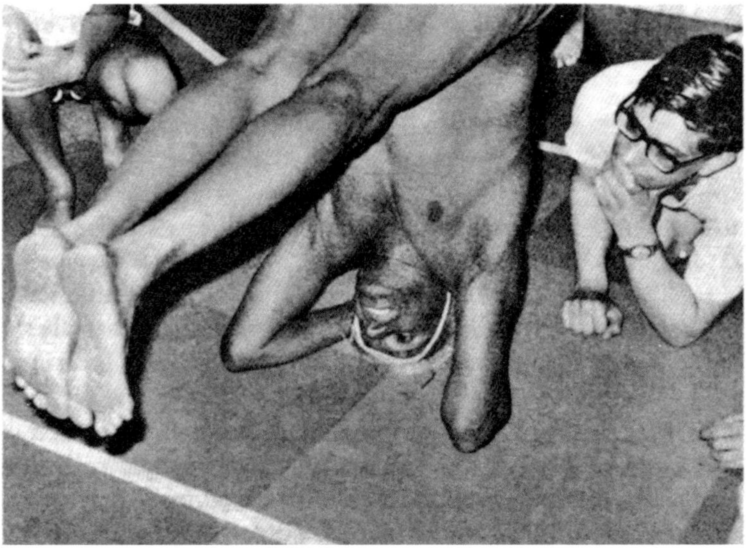

不知道身体，只知道脚踝、膝盖等部位。到了身体期，你必须通过心知道身体是一个整体。

等到心知道了身体，就进入第三阶段熟识期。这时你让智觉跟身体认识，就好像两个人经由第三者介绍而相识，智觉是人的第三个工具，所以心介绍身体跟智觉认识。心对智觉说："看看这儿发生的事，让我跟你介绍一下，这是我的膝盖，这是我的脚踝，这是我的手臂……"身体与智觉通过心的介绍，就这样相识了。就像有人介绍你跟我认识，我们认识了以后，那个介绍人就离开了，你和我变成了朋友。所以心退下来，智觉和身体变成一体。

熟识了之后，我们通过智觉到达第四阶段——完美成熟期。当智觉感受血肉与皮肤成为一体之际，它对真我说："来呀，来看我的作为！”这时，你的姿势完美，你逐一介绍了身、心、智以及真我互相认识，它们全体一致并列呈现于体式中。这是从身体解放出来的自由。在这时刻，你忘了身体，因为每一个组成分子以相同的速度和相同的方向流动着。帕坦伽利在第三篇说：“瑜伽修行者身体移动的速度应当等同于灵魂移动的速度。”

可是如果你在前面的阶段忽略了身体，就永远达不到这个境界。问题就出在这里：未知有穷，焉知无穷！

第五部分

世间的瑜伽

瑜伽艺术

几乎每一个人都知道瑜伽是一门哲学，或修行之道，可是很少人知道瑜伽也是一门艺术。艺术家无法定义自己的艺术，艺术只能通过艺术表达自己，而非用文字。

古代圣贤把知识区分为世间的知识和灵魂的知识，他们知道人有身、心、灵的存在，也明白这三种层面的重要，因而发展出各种艺术，有规律、有系统、均等地努力发展人的这三种存在。

印度传统六大基本艺术是：瑜伽、摔跤、箭术、戏剧（包含舞蹈）、音乐和经济。艺术有许多类型，包括实用艺术、治疗艺术、美术、表演艺术等等。瑜伽艺术囊括所有的层面，因此是根本艺术。人通过瑜伽与灵魂联结，所以瑜伽是心灵的艺术。每一种体式都有精确的几何和建筑结构，所以它也是美术。瑜伽带给练习者健康、快乐，所以它是治疗、实用兼具的艺术。当观者赞叹体式呈现的美与和谐时，瑜伽又成了表演艺术。

成为艺术家要具备三种特质：必须有能力深入堂奥；必须热爱这门艺术，才会坚毅、努力、专注地用功；必须要有创意和想像力以开创新局。今日领悟之处，昨日尚不明白。每一天都有新体会，但是仍有广大的未知，因为宇宙是广大的。艺术家必须探索广大的未知，以期精益求精。艺术家生活在一般的社会环境中，同时必须展现新的活力，带出前所未有的转化，使他们的艺术有生命。

湿婆天是瑜伽的创始者，他的第一个学生是妻子帕瓦蒂女神。湿婆天也是舞蹈之神，瑜伽修行者和舞者都敬奉湿婆天，因为他把这两种知识赐给人类，使人类身体每一个细胞都能体验纯洁、神圣的灵性，并且在多元中找到统一，在人性中找到神性。

有个美丽的故事描述湿婆天邀请毗湿奴观赏他的毁灭与创造之舞。毗湿奴坐在蛇王宝座上观赏湿婆天的舞姿时，身体变得很沉重，蛇王被压得气喘吁吁。当舞蹈结束时，毗湿奴的身子又变得轻盈。蛇王问毗湿奴是什么让他变重，又是什么让他变轻？毗湿奴答：“我完全沉醉于湿婆天的舞蹈时，身体开始振动，所以很重。舞蹈一结束，我回到意识，就变轻了。”蛇王明白他的主人热爱舞蹈艺术，就说：“王啊，你若如此喜爱这个舞蹈，何不让我学了来取悦您？”毗湿奴说：“将来湿婆天会要你写一本大文法书，那时候你就可以学舞蹈了。”大文法书的作者不是别人，正是帕坦伽利，他研究舞蹈，也写下一本医书和《瑜伽经》。传说帕坦伽利就是蛇王转世。

瑜伽修行者相信往内的舍离之路，舞者相信往外的创造之路。瑜伽是知识之道，舞蹈是爱之道。瑜伽与舞蹈的不同在于：瑜伽是实践的完美艺术，舞蹈是动作的完美艺术。舞蹈通过动作来做外在的表达，瑜伽尽管有很强的内在动力，可是观者看来是静态的，它的动作可能很小，但作用强大。

我们都会陷入欲望、愤怒、贪婪、迷恋、骄傲、嫉妒的罗网，这些都是每天常有的情绪变动。舞者利用这些情绪转化成艺术表现，瑜伽修行者则努力克服它们，如帕坦伽利所言，转而“培养友爱、慈悲、喜悦之心，以及对苦与乐、善与恶的平等心，以导向精神和平”（《瑜伽经》第一篇第33节）。

瑜伽修行者和艺术家一样，都需敬重身体。一个人没有姿态、形式，没有优美、力量，既成不了瑜伽修行者，也成不了舞者。你若是艺术家，记住，无论你表现的艺术主题是什么，都依赖内在的经验与行动，这些也是瑜伽修行者努力之处。若是身为艺术家，同时修炼瑜伽——与内在的不同层面联结——你会发展出极大的表达能力，你的艺术会达到真善美的境界。这时艺术变得神圣非凡，成为善的艺术。没有这种内在深度的艺术，是愉悦的艺术。当然，这种艺术有其价值，但是如果强度和虔诚消失了，很容易沦为满足感官的艺术。

我们需要结合愉悦的艺术和善的艺术。若只有愉悦的成分，那仅仅是感官的，没有提升。若只是善的艺术，那也太高调、严肃，不受社会大众欢迎。要感动、教育、鼓舞大众，需要结合这两种层次的艺术，这样所有的人都可以活在完善的光明里，照亮意识。那么，就有一股鲜活的动力使我们每一个人活在灵魂里，如此这个必死的身体可以啜饮不朽的灵魂之仙露，让艺术变为神圣的。

老师与教学

要做学术科目的老师还算容易，要做艺术科目的老师相当困难，要做瑜伽老师最困难，因为瑜伽老师必须评鉴自己，修正自己的练习。瑜伽艺术是完全自觉而实际的学问。瑜伽老师必须知道身体的所有功能，必须了解学员的行为，并且知道如何回应，随时帮助学员、保护学员。

老师必备的条件很多，我要给大家几句话，让你们明白、了解和下功夫。日后你们会发现更多。老师应当是清楚、聪明、有信心、不怕难、关心、小心谨慎、具建设性、有理解力、有勇气、有创意、体贴、有良知、有批判力、奉献、愉快、贞节、冷静，并且全心投入去了解这门学问。老师的教学方法必须是有力而正向的，必须坚定地带出学生的信心，但是对自己要求很严格，这样才能反省、批判自己的练习和态度。老师必须不断学习。他从学生那儿学习，并且坦白跟学生说自己仍在学习这门艺术。

师生之间的关系像夫妻，也像父子，是紧密而复杂的关系。以夫妻来比喻师生之间的亲密，老师必须密切关注学生的进展，在整个修炼过程中帮助学生。同时师生关系又像父亲和成年的儿子，虽然关系深厚，但是也要有距离。老师的职责是保护、引领学生，使他们不致在学习的路上失败。学生的职责是清楚自己是否如实维持老师所教的，才不至于落入陷阱。师生之间是双向道，其中交流着爱、尊崇、虔诚和奉献。

我记得很清楚，印度在英法政权控制时期，去过欧洲的印度人经常在家门口挂一个牌子，宣告自己是“留法归国”或是“留英归国”，仿佛他们是特权分子似的。现在瑜伽界发生同样的事。从西方到印度来的学员回去后，到处可见“留印归国”的瑜伽修行者在教瑜伽。这真是糟糕的事，上了一些短期课程，就宣称自己是瑜伽老师，只有老天知道他们有多少经验、修炼到什么程度。学生也要负责任，因为他们没有给老师压力，没有搞清楚这个老师到底有没有本事。学生应当要有一双鹰眼去观察老师。

现在有许多人自称上师（guru）、瑜伽修行者或瑜伽女修行者。这是不对的。老师不应当被称为上师，而上师也不能仅仅被视为老师而已。上师是除去黑暗、给予光明的人。保护学生，使学生不至于变成环境的牺牲品，并且帮助学生努力精进再精进，使他们生出谦卑的心，这种人是上师。上师的角色有如桥梁。上师体验过真理，所以可以做桥梁，帮助他人接近神。上师是神的工具，神的力量在他们体内作工，唤醒那些还不明白生命灵性价值的人，引领他们接近神。

有灵性地活着，就是活在当下。在练习时，只要没有杂念生出，那个时刻你就是有灵性的。相反的，你的心跑到别的地方，想到街上遇到的某人，想到办公室某人告诉你的某事，即使你正在练瑜伽，也无灵性可言。重点不是你在做什么，而是你的心在做什么。

瑜伽让身体坚实，智觉清明，心清静。这就是平和，而且别人会因为看见你的平和而学习。培养平和、喜悦、愉快这些至高无上的力量。那么别人看见你身上的喜悦，就会说："我也想要享有这样的喜悦。"当学生自己上门求教，而不用你去找学生时，你就是社会里真正的助人者。那时就会有纯净的教学和纯净的信息。

我的教学方式是，要学生做很多姿势而不让他们的心跑掉，一堂课两个钟头或三个钟头，有时候四个钟头。跟我上过课的人都有这个经验。我的课长达三个半或四个钟头，学生知道过了四个钟头吗？不知道。所以我让他们维持了四个钟头的灵性状态。一天二十四小时当中维持四个钟头的灵性专注，我可以说自己在世上做了善事！

假设我要你禅修，你闭上了眼睛，保持安静，如果我也闭上了眼睛，我能知道你的心在做什么吗？或许你会把它称为灵修，我并不认为其中有灵性，因为你的心晃到别的地方去了。那不是

我的教学方法。我教的是外在的动作，可是在这么做时却使你的内部器官持续维持在专注觉察的状态达四个钟头之久。所以，我不需要证书来证明我教的是身体瑜伽或灵性瑜伽。我在教学的时候，我知道你的心在四个钟头里是不能散漫、晃荡的。而且我在教学时，我使你全神贯注——完全觉知你的身、心、感官和智觉。

我在授课时非常活跃。这表示我没有禅定吗？你也许是坐在屋子一角禅定，我却是在到处走动中禅定。两者有什么不同？坐在屋角，闭上眼睛，不见得是在禅定，可能只是枯坐在那儿。有些人认为我是个注重身体的人，因为我在教学时会碰触学生的身体来纠正他们，要他们伸展这儿、伸展那儿。然而，我觉知内在，同时觉知外在。当你闭上眼睛坐着，你觉知内在，可是无法觉知外在。我同样地观照着内在与外在。否则，我怎么可能在教学时修正这么多人？如果有人做错了，我立即上前纠正。所以我在教五十个人或三百个人的时候，我整个人是统合的。当一个人完全统合时，那就是禅定。当我知道三百个人的错误时，我怎么可能不在禅定当中？

可是当你闭上眼睛说自己在禅定时，甚至不知道自己错在哪里。我也可以单单坐在前面，叫学生这么做、那么做，可是那样会造成师生之间的对立。学生若做错了，我去修正，这样他们才能明白我所明白之处。

对于我那些已经在教瑜伽的学生，我挑他们的毛病一点儿也不留情。有时候一个班上有五六十人，其中大概有三十到三十五个是老师，其余是一般学生。我观察他们几分钟，就知道他们只教学生，自己却没练习。我现在说的是我自己的学生，所以你们应当好好珍惜我说的话。我看到这种情况，会马上给他们当头棒喝。这些老师说他们没有练习，但是知道自己在教什么，我就会说："如果你们自己没有练习，就应当停止授课。"在西方，很多人根本没有测验老师的水准就去上瑜伽课。老师测验学生，学生在接受老师之前也应该测验老师的程度。医师没有经过合格的训练不能看诊开药，所以学生若是知道老师不够格，必须有所表示。这关乎道德纪律。教学与练习并进是道德的。老师教学时对自己的姿势不清不楚，是不道德的。

瑜伽不能光用嘴巴来教，必须有技术规则、有实际的教学方法。学生要检验老师的好坏很容易。我不能指责老师，我把责任归给那些不评鉴老师就去上课的学生。学生一旦开始评鉴，老师就知道自己受到观察，这会让他们明白自己所知少之又少，他们会勤加练习，很可能变成好老师。所以我把它留给学生去决定。

师资证明没有什么价值，老师研究教学的方法才有价值。世界是纯洁的，人性是纯洁的，可惜世上的人却非常堕落。瑜伽在西方越来越受欢迎后，许多人开始教瑜伽，宣称教的是艾扬格瑜伽。有些人打着我的名号，到现在还是如此，教的东西却是我自己从来没教过的！在英国，瑜伽是在教育主管单位的赞助下正式开办的，当时许多人宣称曾经在我门下受业，申请成为老师，事实上并非如此。后来主管单位发现有些老师的教法跟我不一样，他们希望雇用的老师确实曾经受教于我或我的资深弟子。这就是为什么我引用师资认证制度，那是为了维持统一的系统，使得教学方法不致混淆。借由证明书至少知道哪些人直接受教于我，真正是我的学生。除此之外，证明书没有什么特别的价值。如果老师想在专业上更上一层楼，就像其他的教育领域一样，他们可以去研修高阶学位。如果你觉得有个基础教育就开心了，这不错；如果你想继续中等教育，那也很好；如果你想修博士或更精进，那全看你个人。重点不在学位证明，而在于你是不是真诚，是不是谦虚，是不是有慈悲心。你得慈悲，也要狠心，这两种心肠必须兼备。你得知道什么地方要慈悲，什么地方得心如铁石，才能帮助学生解决问题。

你若是老师，不要超过自己知识的界线。如果学生伸展太过，或者你不清楚时，可以跟学生说：“我是老师，你们应当遵照我的教法。”这样的话，你可以用自己有把握的速度来带领学生，就会有信心。瑜伽能舒缓身心，尽管我知道某个姿势我做起来有舒缓的作用，但是我也知道你做起来可能累得不得了。以舞王式为例，我知道如何在伸展中放松，可是我的学生不知道，他们体验到的是疲累。他们没办法让能量流动，为了做出姿势，他们卡住了能量，然后就说这个姿势过度伸展。我则称它是低度伸展。你们都是头脑过度伸展，身体却伸展不足。在这种情况下，紧张、疲惫的是头脑。人是脑子先累，身体可以撑得久一些。你要能分辨这两种疲惫。

那些拼命做出姿势、做得又累又紧绷的学生，是用身体的局部做这个体式，不知道如何均匀地伸展身体的每一个部位。如果你过度伸展一边，表示你在压榨这一边。或许你是新老师，或许你是有丰富经验的学生，不过这都不是问题。重点是谁评估伸展是否过度？伸展过度的意思是：难以忍受的疼痛。伸展过度的部位会立即觉得疼痛，不是事后才有感觉。如果你认为自己伸展过度了，却不觉得疼痛，那么问题出在心理。你心想，“我过度伸展了，我不应该过度伸展。”就是这种想法阻碍了你在体式的呈现上更进步。

当我身体累了，我说“我的身体累了”，我从不说“我累了”。如果我的头脑累了，我做犁式来恢复能量；如果是身体累了，我做半犁式来活化细胞。或许你在累的时候却做了站立姿。你已经累了，又做立姿过度伸展，当然觉得更累。你应当能分辨：做什么，做多少，什么时候做。

在此我提出一个问题：老师应当何时结束课程？如果你是老师，你什么时候跟学生说“今天练到这里”？每个人都知道如何开始，可是没有人知道如何结束课程。明确知道何时结束很重要。学生若是做不到我要求的，我会说：“停！”我是这样结束课程的。你或许认为一个学员得到了很大的能量，可是你应当知道什么时候他不能再继续了。学员进入教室时，你注意到他的皮肤是什么颜色吗？离开教室时是什么颜色吗？在课堂中是什么颜色？有什么变化？当老师的，观察到这些了吗？我看皮肤就知道这个人或那个人能不能做了。知道何时停止也是教学的艺术。若是你知道何时必须要学生停止，我可以说你是成熟的老师了。所以，问题不在于你给学生什么。也许你教了一大堆东西是因为你想建立个人崇拜，或是你害怕停止。

没有研究创新，就没办法成为优秀的老师。有些人的脖子比较长，有些人比较短；有些人的胸膛上窄下宽，有些人上阔下窄；有些人脊椎十分强壮，有些人非常弱。我见过许多人聪明绝顶，可是和自己的身体连不上。

我因为和人接触，了解他们的情绪困扰，而学到哪些姿势可以稳定情绪。我学到哪些运动和哪些类型的体式对肝有作用，哪些对脾有作用，哪些对肾有作用，哪些对心脏有作用。我在自己的身体上下功夫，去发现如何伸展肝，如何收缩肝，如何做侧边动作运动到肝、胃或肠。我是这样学习的，我也继续这样学习。所以我在教学的同时，也得努力研究创新。

教学有两种形式：一种是依据你的聪明才智去解说；一种是

明白学生的弱点，知道自己必须怎么解说才能让他们了解你的意思，这就需要创造力了。这两种教学方式我都发展出来了。我能用我的聪明才智去教学，也能接受学员头脑和身体的弱点，引进新方式让他们明白我教的东西，而且做得到。这是我教学的秘诀。

我年轻时，社会上的人根本不尊重我，我很悲观，大家叫我疯子。可是现在，经过五十多年不断的尝试、错误，让我能清楚自己所做的、所教的。人会失败，即使圣贤也会有过。我教过许多德高望重、灵性高超的人，有科学家、艺术家、哲学家、圣人、学者，你想我没从他们那儿学习吗？我仍然在学习。

老师首先要牢记的是：所有站在面前的学生都跟自己一样重要。那些接受我教导的学生都成了我的孩子。现在我担心的是，我的孩子会怎么去照顾我的孙子！

附录一　艾扬格大事年表

1918　12 月 14 日出生于印度南部 Karnataka 邦 Bellur 的一个小农村，他的全名是 Bellur Krishnamachar Sundararaja Iyengar。

1934　在他的姐夫瑜伽大师克里希纳马恰亚（T. Krishnamacharya）的指导下开始修习瑜伽。

1937　开始在普纳（Pune）教授瑜伽。

1943　和拉玛曼妮（Ramamani）结婚。

1944　女儿吉塔（Geeta）出生。吉塔后来成为出色的瑜伽老师，著有女性瑜伽经典《瑜伽，女性的珍宝》（*Yoga, A Gem for Women*）一书，并成为艾扬格瑜伽学院的院长。

1948　教导克里希那穆提（Śrī J. Krishnamurti）瑜伽。两人之间的友谊维持了二十年，直至克里希那穆提辞世。

1949 儿子普尚（Prashant）出生，普尚后来也成为瑜伽老师，与姐姐吉塔共同管理父亲的瑜伽学院。

1952 与小提琴大师耶胡迪·梅纽因（Yehudi Menuhin）相遇，结下师生缘。

1954 在梅纽因邀请下，到瑞士、伦敦与巴黎等地访问，开始到西方教授瑜伽。

1955 开始为印度 Khadakvasla 国家国防科学院的教官及军官教授瑜伽；在苏联领导人赫鲁晓夫（Nikita Khrushchev）面前表演瑜伽。

1956 亲自指导八十六岁的比利时伊丽莎白女王做头倒立式。

1956 接受美国标准石油公司（Standard Oil Company）继承人哈妮丝（Rebekah Harkness）的邀请，首次访问美国。美国《生活》杂志对他的纽约长岛之旅有详细的报道。

1966 《瑜伽之光》（*Light on Yoga*）出版。此书后来成为瑜伽体式的“圣经”，售出了一百多万本。

1971 伦敦市立教育局（Inner London Education Authority）请他培训艾扬格瑜伽体系的教师。

1973 妻子拉玛曼妮去世，从此未再婚。睽违十七年后再访美国，第一个美国艾扬格瑜伽中心于密歇根州安娜堡（Ann Arbor）成立。

1974 旧金山艾扬格瑜伽学院成立。

1975 以妻子之名在印度普纳成立了“拉玛曼妮·艾扬格纪念瑜伽学院”（Ramamani Iyengar Memorial Yoga Institute）。

1981 《调息之光》（*Light on Prāṇāyāma*）出版。

1984 第一届国际艾扬格瑜伽大会在旧金山召开，共八百多名瑜伽习练者与会。

1987 第二届国际艾扬格瑜伽大会在波士顿召开。

1990 第三届国际艾扬格瑜伽大会在圣地亚哥召开；美国艾扬格瑜伽协会成立。

1991 获印度政府颁发 Padma Shri 奖。

1993 第四届国际艾扬格瑜伽大会在安娜堡召开；《帕坦伽利瑜伽经之光》（*Light on Yoga Sūtras of Patañjali*）出版。

1997 从瑜伽学院退休，但继续瑜伽治疗培训班的教学以及教师培训。

1999 印度总理瓦杰帕伊（Atal Bihari Vajpayee）探访艾扬格及其瑜伽学院。

2001 《艾扬格瑜伽》（*Yoga*：*The Path to Holistic Health*）出版。

2002 获印度政府颁发 Padma Bhushan 奖。

2003 《牛津英文词典》收录“Iyengar”作为词条。

2004 被美国《时代周刊》评选为“全球最有影响力的100人”。

2005 第六本著作《光耀生命》（*Light on Life*）出版，并到美国进行“光耀生命2005”之旅。到2005年为止，美国268个城市中，有529位获得资格认证的教师教授艾扬格瑜伽。

2010 于12月欢庆九十二岁生日。

附录二　梵文词汇

以下词汇是梵文的罗马拼音，多为梵文人名、神祇名、传说人物，或古籍经典之名。

因为 ch 的英文发音比较接近梵文，所以本书用 ch，而不是用 c，例如 chakra（cakra）、brahmacharya（brahmacarya）、chitta（citta）等等。为了方便阅读，复合字都加上连字符号，例如 bhakti－mārga，indriga－saṁyama 等等。文献、圣典名称的复合字则用空隔分开，例如 *Bhagavad Gītā*（《薄伽梵歌》），而非 *Bhagavadgītā*，*Atharva Veda*（《阿闼婆吠陀》），而非 *Atharvaveda*。

abhiniveśa　对死亡的恐惧；执着于生，害怕一切所有被死亡切断

abhyantara　内在的；（呼吸的）入息

abhyāsa　意志坚定并且不间断地学习和练习

āchārya　大师、老师；提出特别教理、理论的人

adhyāya 研习

adhibhautika－roga 人体系统里地、风、水、火、以太五种元素不平衡所造成的疾病；由蛇、老虎等生物所造成的伤害

adhidaivika－roga 父母遗传给子女的基因病，或因过去的行为而来；受行星影响所造成的疾病

adhyatmika－roga 自我的身体或心理的疾病；不当使用身体系统所造成的疾病

Ādiśeṣa 古代的千头蛇，是印度神话毗湿奴的坐骑，它也支撑全世界

ahaṁkāra 自我；字面上的意思是“我一创造者”（I－Maker）；存在的一部分，活跃的、有自我意识的

ahiṁsā 非暴力，不单单是不杀生、不施暴之心，而是要有积极的爱心拥抱万物

amṛta 仙露（长生不老药）

amṛtamanthana 提炼仙露，《富兰那书》（或译《往世书》）故事里的情节

ānanda 幸福、喜悦

ānandamaya－kośa 喜悦的灵性层，存在的核心——包裹灵魂的五个层次当中的最内层；参阅kośa，śarira

añjali 手掌合十祈祷

annamaya 食物的材料；材料

annamaya－kośa 人体结构层，粗显的物质体——包裹灵魂的五个层次当中的最外层；参阅kośa，śarira

antara　里面的，内在的

antara－kumbhaka　吸满气之后悬止气息（止息）

aparigraha　摆脱积蓄、贮存，免于贪婪，不拥有超过个人需要的物品

apauruṣeya　天启的；非人所给予的

apavarga　解放

ārambhāvasthā　开始的状态，开始，开始进行；修炼瑜伽的第一个阶段

ardha　半

ardha－chandrāsana　半月式（体式）：一腿站立，一手触地，身体与另外一腿成水平伸展，整个身体在一个垂直面

artha　方法，实用有益，使用，利益，原因，动机；人追求的事物之一：财富

āsana　体式，瑜伽修行的第三阶段

asmitā　“我”原则；个体感，纯粹存在的觉知

āśrama　生命期；人有四个生命期，每一期有它的阶段目标：参阅 brahmacharya，garhasthya，sannyāsa，vānaprastha

asteya　不偷

Atharva Veda　《阿闼婆吠陀》，印度圣典四部吠陀经当中的一部，内有神秘的梵唱

ātma，ātman　灵魂，最内在的宇宙真我，生命原则

ātma－dhyāna　禅定于宇宙大我

ātma－saṁyama　灵魂的整合

ātman　参阅 ātma

Aurobindo，Śrī　奥如宾多（1872—1950），印度宗教领袖暨民族主义者

avasthā　状态，参阅 ārambhāvasthā，ghaṭāvasthā，niṣpattyavasthā，parichayāvasthā

avidyā　无知

āyāma　一个动作，包含拉长、扩张、伸展、抑制、控制、停止

āyuḥ　生命

āyurveda　生命的知识；健康、医疗的科学

bāhya　外在的；（呼吸的）出息

bāhya－kumbhaka　完全吐气之后悬止气息

bandha　锁住，束缚；紧密束住；收缩、控制身体某些器官或部位

Bhagavad Gītā　《薄伽梵歌》，印度的哲学源流之一，内含《奥义书》的精髓，内容是黑天（Kṛṣṇa，毗湿奴的化身）和战士有修（Arjuna）的神圣对话

Bhagwan　受祝福的；受祝福的人

bhakti　敬拜，赞美

bhakti－mārga　虔诚之路，臣服于至上的神

bhakti－yoga　人借着赞美、敬奉神，达到自我实现以及和至高灵魂结合的方法

bhauma　属于地上的，尘世的；参阅 sārvabhauma

bhoga　愉悦，经验

bhoga – kalā　愉悦的艺术

bhraṣṭa　坠落

Brahmā　大梵天，印度三位一体之神的首位；创造之神；参阅 Śiva，Viṣṇu

brahmachāri　誓言独身、禁欲、研究宗教的人

brahmacharya　独身、宗教研究和自我研习——人生四个阶段当中的第一个

Brahman　梵，至高灵性，绝对存在

brahmin　祭司，印度种姓制度里的最高阶级

buddha　开悟的人，觉醒的人

buddhi　聪明才智，理智，分辨，判断

buddhi – saṁyama　智觉的整合

chakra　脉轮——身体的能量中心，负责人体系统里能量的规律运作，位在左脉、右脉、中脉这些重要能量通道的交会点

chandra　月亮

chandra – nāḍi　月亮能量的通道；参阅 īda

Charaka Saṁhitā　《阇罗迦泉集》，吠陀医学的文献，有人认为是帕坦伽利写的

chitta　心理—精神体，包括心、智和自我

chittavṛtti　心的波动；行为模式，存在的模式，心的状态；思潮

dāl　扁豆

deśa　地方

dhāraṇā　心灵集中或完全的专注——瑜伽第六个阶段

dharma 法，宗教，律法，是非曲直，正义，善行；事物的重要本质；维护灵魂并产生德性、道德或宗教功德的行为规范

dharmendriya 德性器官；良心

dhautī 哈他瑜伽里六种洁净法的一种，吞一长条湿布清洁胃部

dhyāna 禅定——瑜伽的第七个阶段

dīrgha 长

doṣa 体液；缺点，短处，欠缺，疾病；参阅 kapha，pitta，vāta

dveṣa 恨，敌意，憎恶

eka 一

ekāgratā 固着在一个物体或点上；非常专注；把心的机能集中在单一的点上

ekāgratā－pariṇāma 单一专注点的转化；帕坦伽利描述禅定的第三阶段

gārhasthya 家庭生活——生命的第二个阶段

ghaṭa 身体；器皿

ghaṭāvasthā 通过瑜伽修行了解身体；瑜伽修行的第二个阶段

ghee 净化的奶油

Goṇikā 帕坦伽利的养母

guṇa 质，三种基本的自然和宇宙物质当中的一种；参阅 rajas，sattva，tamas

guru 灵性道师、上师；老师；把光亮带给灵性有困扰的人

halāhala 毒药，天使和魔鬼从海里提炼出来的第一道物质，

为了不让人类灭绝，湿婆天吞下这个毒药

halāsana 犁式：用肩膀支撑身体，两腿伸展过头，足触地，形状像锄头

haṭha 力量，意志力；强而有力的

haṭha - yoga 哈他瑜伽，通过严格训练与平衡体内太阳和月亮能量，而达到自我实现以及和至高灵魂结合的方法

Haṭha Yoga Pradipikā 《哈他瑜伽之光》，著名的哈他瑜伽文献，作者为湿瓦玛罗摩

īda 左脉，身体里重要的能量通道之一，从左鼻孔到脊椎底部然后到头顶，也称为月亮能量通道；参阅 **chakra**，**piṅgalā**，**suṣumṇā**

indriya 器官，包括五种行动器官和五种知觉器官；参阅 **dharmendriya**，**jñānendriya**，**karmendriya**

indriya - saṁyama 行动器官和知觉器官的整合

Īśa 主人，拥有者

Īśvara 至高存在；神

Īśvara - praṇidhana 把行为和意志奉献给神

jala 水

jala - netī 哈他瑜伽里六种洁净法之一，把水灌入一个鼻孔然后从另一个鼻孔出来

jīva 生物；活的东西；区别于宇宙灵魂的个体灵魂

jīvāmṛta 生命之水

jñāna 知识，包括来自禅定于宗教和哲学的较高真理的神圣知识

jñāna – mārga　知识与了解之道

jñāna – saṁyama　知识的整合

jñāna – yoga　智瑜伽；通过知识与了解，达到自我实现以及和至高灵魂结合的方法

jñānendriya　知觉器官；五种知觉（听觉、触觉、视觉、味觉、嗅觉）之一

Kailāsa　喜马拉雅山脉的山峰

kaivalya　完全的自由；灵魂完全舍离物质认同至高灵性

Kaivalya Pada　帕坦伽利《瑜伽经》的第四篇，也是最后一篇，谈论完全解脱

kalā　艺术；参阅 **bhoga – kalā**，**kāma – kalā**，**yoga – kalā**

kāla　时间

kāma　感官愉悦，欲望

kāma – kalā　满足感官欲望的艺术

kapha　痰；三种体液之一，对应于水元素；参阅 **pitta**，**vāta**

kāraṇa　原因

kāraṇa – śarīra　因果体；人的三体当中最深的一体，包含愉悦的灵性层；参阅 **śarīra**

karma　行动

karma – mārga　行动之道

karma – yoga　实践瑜伽；通过行动达到自我实现以及和至高灵魂结合的方法

karmendriya　行动器官——手、脚、口、排泄器官和生殖器官

kevala　全部，完全，绝对，完美，纯洁

kevala - kumbhaka　完美的止息，指吸气和吐气之间的止息练习得非常熟练，达到自然毫不费力的地步

kleśa　痛苦，苦恼，烦恼

kośa　层，包裹灵魂的五个层面之一：结构层，对应粗钝的人体结构；生理层，包括呼吸、循环、消化、腺体、排泄和生殖系统；心理层，包含非主观经验的觉知、感觉和判断；知性层，包含主观经验的推理和判断过程；愉悦的灵性层，参阅 śarīra

kriyā　行动；洁净作用

kriyā - yoga　修行瑜伽，行动瑜伽

Kṛṣṇa　黑天，印度神话里最有名的角色；毗湿奴的第八个化身

kṣatriya　刹帝利，武士阶级，印度种姓制度的第二个阶级

kumbhaka　吸满气或吐完气之后的止息时间；参阅 antara - kumbhaka，bāhya - kumbhaka，kevala - kumbhaka

Kumbhakarṇa　巨大的恶魔；斯里兰卡魔王罗婆那的弟弟古巴卡那，最后被史诗《罗摩衍那》里的英雄罗摩王杀死

kuṇḍalinī　盘绕成团的雌蛇；拙火，神圣的宇宙能量，以一条盘绕的蛇象征这个能量，沉睡在脊椎底部的海底轮，这个潜伏的能量必须被唤醒，升到重要的能量通道中脉，往上穿透各个脉轮，直到头部的顶轮，这时瑜伽修行者与至高的宇宙灵魂结合

kuṇḍalinī - yoga　拙火瑜伽，通过唤醒拙火以达到个人实现

以及和至高灵魂结合的方法

kūrma 乌龟

Mahābhāṣya 字面上的意思是“重要的注解”；帕坦伽利论梵文文法的著作《摩诃巴夏》

mahātmā 灵魂高超的，宽宏大量的，出众的，高贵的，伟大的

manas 心识，有专注、选择、拒绝的力量和能力；感官的统治者

manaḥ - saṁyama 心的整合

manomaya - kośa 心理层，包含非主观经验的觉知、感觉和判断；包裹灵魂的五个层面之一；参阅 kośa，śarīra

mantra 神圣的音节、字、句或祈祷，可以重复诵念以助禅定，献给特定神祇的偈颂，对神的赞颂词

mārga 方法，道，路；参阅 bhakti - mārga，karma - mārga，jñāna - mārga，nivṛtti - mārga，prāvṛtti - mārga

Meru 美露山，印度神话中的仙山，据说在东半球的中央

Mohiniī 仙女，毗湿奴的化身

mokṣa 解脱；灵魂从轮回当中解脱

mokṣa - śāstra 解脱的科学

mudrā 契合，封住，封住的姿势

nāḍī 身体的精细管状器官，里面有生命、精液、宇宙能量，以及气体、水、血液、养分，另外感受和意识等其他内容也包含在内

Naṭarāja 舞蹈之王，湿婆天的名号之一

naṭarājāsana 舞王式：一腿站立平衡，一只腿后屈，一手臂从前方抬起去抓后屈的足，另一手臂往上伸展

nidrā 睡眠

nirbīja 无种子，不依赖任何事物

nirbīja – samādhi 完全意识的无种子状态，不依赖任何事物或其他外在的帮助

nirodha 抑制，压抑，稳定

nirodha – pariṇāma 抑制的转变——帕坦伽利描述的禅定第一阶段，包含抑制心的变动和波动，并且注意抑制的心与波动的心之间的空隙

niṣpattyavasthā 完全，结果，最终完成状态；瑜伽修行的第四阶段

nivṛtti – mārga 往内的道路；通过戒绝世俗行为、不受世俗欲望影响而达到自我实现的方法；参阅 pravṛtti – mārga

niyama 内修；用纪律来自我净化——瑜伽的第二阶段

nṛtya 舞蹈

ojas 光，亮，光泽，能量

pāda 脚或腿；身体的一部分

padmāsana 莲花式：双腿盘坐、两足置于大腿上的姿势

parichayāvasthā 熟识的状态，身、心、智之间的亲密状态；瑜伽修行的第三阶段

paridṛṣṭa 调整、调节

pariṇāma 转化；参阅 ekāgratā – pariṇāma，nirodha – pariṇāma，samādhi – pariṇāma

Pārvatī 湿婆天的妻子，也是湿婆天的第一个瑜伽学生

paśchimottānāsana 背部前曲伸展坐式：两腿伸直并拢坐在地上，上身往前伸展置于大腿上，“**paśchima**”的字面意思是“西面”，指身体从头到脚整个背面；“**uttāna**”是强力伸展的意思

pāta 落下

Patañjali 帕坦伽利，瑜伽哲学的创论师，《瑜伽经》的作者，据说是蛇王的化身

piṅgalā 右脉，身体重要能量通道之一，从右鼻孔通到脊椎底部，然后通往头顶，也叫太阳能量通道；带红色的；参阅 **chakra**，**īda**，**suṣumṇā**

pitta 胆汁——三种体液之一，对应于火元素；参阅 **vāta**，**kapha**

prāṇa 呼吸，气息，风，生命力，生命，活力，能量，隐藏于大气中的能量

prāṇa - saṁyama 气息的整合

prāṇamaya - kośa 生理层，包含呼吸、循环、消化、腺体、排泄和生殖系统，是包裹灵魂的五种层面当中的一种；参阅**kośa**，**śarīra**

prāṇāyāma 通过规律的呼吸控制来调整能量和生命力——瑜伽的第四阶段

praṇidhana 奉献，放下；参阅**Īśvara praṇidhana**

Praśna Upaniṣad 十部主要《奥义书》当中的一部，里面有各种议题

pratyāhāra　收摄，心从攀缘感官和外境的状态中收摄回来——瑜伽的第五阶段

pravṛtti - mārga　往外的路，行动或创造的方法；参阅nivṛtti - mārga

pura　堡垒，城堡，城，房子，居所，身体

pūraka　吸气

Purāna　印度的神话传说古谈，译为《富兰那书》或《往世书》

puruṣa　人的灵魂或心灵的根源；观照者；身体居所的主人；人

puruṣārtha　生命的目标——生命的四个目标；责任、成就、快乐、自由解脱

rāga　欲望，欢乐的执着；怒气

rājā　王，统治者

rāja - yoga　帝王瑜伽，通过成为自己心的统治者，打败心的敌人（主要是淫欲、愤怒、贪婪、妄想、骄傲、嫉妒），以达到自我实现以及和至高灵性结合的方法

rajas　移动力，活动，机动——物理的三种特性之一，参阅tamas，sattva

Rāma　罗摩王，毗湿奴的第七个化身——史诗《罗摩衍那》里的角色

Rāmakṛṣṇa　印度宗教师（1836—1886）

Rāmānuja，Śrī　南印度三位伟大宗师之一

Rāmāyana　《罗摩衍那》，著名的印度史诗，叙述罗摩王的功勋

rasa 品尝

rasātmaka 道德生活所提供的各种情操、风格的体验

rasātmaka – jñāna 富有道德生活风格的知识

rasātmaka – karma 富有道德风格的行动

Rāvaṇa 斯里兰卡魔王罗婆那，是《罗摩衍那》史诗里的人物，抢走了罗摩王的妻子希塔。他有很高的聪明才智，惊人的力量，是湿婆天的热忱信徒

rechaka 吐气；肺部清空

Ṛg Veda 《梨俱吠陀》，吠陀经的第一部，里面有上千首对神祇的颂赞

roga 疾病，参阅 adhibhautika – roga，adhidaivika – roga，adhyatmika – roga

sādhana 修炼，熟练的行动；表演；完成

Sādhana Pada 《修炼篇》，帕坦伽利《瑜伽经》的第二篇，谈论灵性实现的各种方法

śakti 力量，能量，能力，力气，代表意识去行动的力量；神的女性面或配偶

sama 同样的，平等的，平均的，公正的

samādhi 三摩地

Samādhi Pada 《三摩地篇》，帕坦伽利《瑜伽经》的第一篇，谈论三摩地的状态

samādhi – pariṇāma 帕坦伽利描述禅定的第二阶段——通过抑制心的波动而获得的宁静状态，并且导向与宇宙大我完全融合

sāṁkhya 数目，列举，数算

Sāma Veda 《娑摩吠陀》，四部吠陀经当中的一部，内容是对神祇有韵律的唱诵、赞颂

saṁyama 抑制，遏止，控制

Śaṅkarāchārya，Śrī Ādi 南印度三位伟大宗教师之一

ṣaṇmukhī – mudrā 守头窍，一种契合法，封住脸上的孔（口、眼、耳、鼻），直接把心导向内在，训练心进入禅定

sannyāsa 舍离世俗的事务，全心敬奉神——人生四个阶段当中的最后阶段

sannyāsin 舍离世俗以及家庭的责任，追寻灵性之路

santoṣa 愉快的，满足的

śarīra 身体；根据印度哲学，有三个体包裹着灵魂，这三个体进一步区分为五个层面：粗钝体，或称结构体，包含身体的结构层，会随着死亡而毁灭；精微体，包含生理层、心理层和知性层；因果体，包含喜悦的灵性层，参阅**kośa**

śarīra – saṁyama 身体结构的整合

sarva 全部，所有

sārvabhauma 普世的，适合全世界的

sarvāṅgāsana 肩倒立：整个身体头下脚上，以肩膀为根基往上伸展

śāstra 任何记录仪典的书籍或文献；任何神圣权威的经典，尤其是宗教或科学方面的；参阅 **mokṣa – śāstra**

sattva 光辉，所有事物本性中纯洁、善良的质地；物理的三种特性之一；参阅 **rajas**，**tamas**

satya　真理

satyam　真实的

śaucha　纯净，洁净

śavāsana　挺尸式：仰躺在地如同死尸；在意识清明中维持身体不动，心保持稳定，并且练习放松，这种有意识的放松可以活化身心。保持心稳定比身体不动要困难，所以这个姿势看起来很简单，事实上最难掌握

setu - bandha - sarvāṅgāsana　桥式肩倒立（setu 是桥，setu - bandha 是建一座桥）：这个姿势是一端以肩膀为根基，另一端以足为根基，把身体撑起来像一座拱桥，手撑在腰两侧以支撑拱桥；参阅 sarvā - ṅgāsana

siddha　智者，观察者或先知；非常神圣的半神者（semi - divine）

siddha - yoga　智者教授的瑜伽

Sītā　罗摩王的妻子希塔，史诗《罗摩衍那》里的人物

Śiva　湿婆天，印度三位一体神的第三位；毁灭之神——他的名字是“幸运吉祥”的意思；参阅 Brahmā Viṣṇu

Śiva Saṁhitā　《湿婆本集》，重要的哈他瑜伽著作

śivam　幸运吉祥的

stambha　控制

sthūla - śarīra　粗钝体；人的三体之一，物质或会毁坏的东西，包括死亡时会毁坏的结构层；参阅 śarīra

śūdra　苦力，印度种姓制度的最低阶级

sūkṣma－śarīra　精微体，人的三体之一，另外两体是粗钝体和因果体；参阅 śarīra

sundaram　美丽的

Sūrya　太阳神

sūrya－nāḍī　太阳能量通道；参阅piṅgalā

suṣumṇā　中脉，人体的重要能量通道，位在脊椎里；参阅 chakra，īda，piṅgalā，kuṇḍalinī

sūtra　格言；圣典；条理；参阅 *Yoga Sūtras*

sūtra－neti　哈他瑜伽里六种洁净法之一，从一个鼻孔穿入一根绳子，然后从另一个鼻孔出来，或是从嘴巴出来，手指抓住绳子的两端移动之

sva　真我

svādhyāya　自我研习

Svātmārāma　湿瓦玛罗摩，《哈他瑜伽之光》的作者

swami　宗教老师的头衔；有学问的上师

tāḍāsana　山式：像一座山似的站得稳固又挺直

tamas　惰性，睡眠状态，黑暗，无知——物理的三种特性之一；参阅 rajas，sattva

tāṇḍavanṛtya　湿婆天的活力之舞，象征宇宙毁灭而新的创造循环尚未开始

tapas　热情，燃烧愿望以达到目标，严格的修炼，净化，自我修炼，苦修

tapasvinī　发愿修行的女性；女性苦行者

tejas　光芒，光辉，光亮，光，尊贵，威严，荣耀

trikoṇāsana 三角式：两腿分开，身体伸展侧弯，一手触地，一臂在上，躯干、手臂和脚形成三角

Upaniṣads 《奥义书》，吠陀经当中的哲学部分，印度最古老的圣典，谈论人和宇宙的本质，以及个人灵魂与宇宙灵魂的结合，upa 是“靠近”，ni 是“下”，sad 是“坐”，所以这个字在字面上的意思是“靠近上师坐下，接受灵性教诲”；参阅 Vedas

vairāgya 舍离，没有世俗的欲望

vaiśya 商人，印度种姓制度的第三种阶级

vānaprastha 人生的第三个阶段，人在这个阶段舍离家庭生活，去森林里苦修

Vasiṣṭha 著名的智者婆吒，许多梵文赞诗的作者

vāta 风——人的三种体液之一，对应于风元素；参阅 kapha，pitta

Vedas 吠陀经，印度圣典，是天启的文献，共有四部：《梨俱吠陀》，给神祇的赞诗；《娑摩吠陀》，祭司的唱诵；《夜柔吠陀》，祭典咒文；《阿闼婆吠陀》，咒语唱诵。每一部吠陀经大致分为“赞歌”和“教义”两类，教义里包含祭仪和哲学议题

Vedic 吠陀的，出自吠陀经的

Vibhīṣana 伟毗沙那，斯里兰卡魔王的小弟，他指出兄长诱骗罗摩王的妻子是不义的行为，劝他把女子送回去

vibhūti 权力，力量，伟大，成就

Vibhūti Pada 《成就篇》，帕坦伽利《瑜伽经》的第三篇，

谈论瑜伽修行者灵修时所获得的力量

vid 知道，明白

vijñāna 知识，智慧，聪明才智，了解，分辨；从经验得来的世俗知识，相对于“梵”（至高灵性）的知识

vijñānamaya－kośa 知性层，包裹灵魂的五种层面之一，包括主观经验的推理和判断作用；参阅 kośa，śarīra

viparīta 颠倒的，相反的，反转的，相对的，逆向的，反常的

viparīta－karaṇi 上身到鼠蹊的部位躺在地上，两腿像肩立似的抬起。这个姿势不是一个完整的体式，而是比较缓和的练习动作

Viṣṇu 毗湿奴，印度教三位一体神的第二位；维护之神，参阅 Brahmā，Śiva

vṛkṣa 树

vṛtti 样式，修正，波动；参阅chittavṛtti

Yajur Veda 《夜柔吠陀》，吠陀经之一，内为祭典牺牲的相关记录

yama 戒律，超越教义、国家、年龄、时间的普世道德规范或伦理纪律；瑜伽修行的第一个阶段，帕坦伽利提到五种戒律：不伤害、真实、不偷盗、节制、不贪婪

yoga 瑜伽：结合，联结；个人意志与神的意志结合，使我们能以完全的、平等的角度看待生命；瑜伽是帮助我们达到这个境界的方法。yoga 这个字是从字根 yuj 而来，意思是“加入”、“结合”；瑜伽的主要目标是：

让人的灵魂和遍及宇宙的至高灵性完全结合，人因而得到解脱

yoga – bhraṣṭa　失去瑜伽的恩典

yoga – kalā　艺术的最高形式

Yoga Sūtras　《瑜伽经》，帕坦伽利写于二千五百年前左右，全书共四篇，内有一百九十六条经文，分别谈论三摩地、修炼的方法、修炼过程中获得的力量，以及完全自由的状态

yogī　瑜伽修行者

yoginī　瑜伽女修行者，行瑜伽之道的女人

附录三　参考书目

Books by B. K. S. Iyengar

Light on Yoga, first published by George Allen and Unwin Ltd., London 1966; paperback edition, Unwin Paperbacks, London 1976 (Schocken Books, New York 1977)

The Concise Light on Yoga, Unwin Paperbacks, London 1980 (Schocken Books, New York 1982)

Light on Prāṇāyāma, first published by George Allen and Unwin Ltd., London 1981; paperback edition, Unwin Paperbacks 1983 (Crossroad, New York 1985)

The Art of Yoga, Unwin Paperbacks, London 1985

Of related interest

Iyengar: His Life and Work, Timeless Books, Porthill, Idaho [1987]

Yoga: A Gem for Women, Geeta S. Iyengar, Allied Publishers Pvt. Ltd., New Delhi 1983 (This book is not readily available in the West, but can be obtained from the Iyengar Yoga Institute, 223a Randolph Avenue. London W9 lNL.)

Yoga Sūtra of Patañjali, translation and commentary, published by Shri Dharmavirsingh Mahida for Ramamani Iyengar Memorial Yoga Institute, Pune 1987 (available from the Iyengar Yoga Institute, London)

Sanskrit texts and scriptures

The following list has been compiled to help those readers who wish to make a further study of the various Sanskrit texts which have been mentioned in this book. Some of the editions listed are readily available from bookshops; others may be obtainable only through bookshops specialising in Oriental books; still others may only be obtainable through libraries. There appears to be no published translation of the *Mahābhāṣya*; a Sanskrit edition has therefore been listed. Geldner's German translation of the Ṛg Veda and Renou's French translation of the Upaniṣads have been included on account of their excellence. Otherwise, all the books listed are English language editions.

Srīmad Bhagavadgītā, edited and translated by S. K. Belvalkar. Hindu Vishvavidyalaya, Nepal Rajya Sanskrit Series 1, Varanasi, 1959

The Bhagavad Gītā, translated and interpreted by Franklin Edgerton, Harper and Row, New York 1974 (paperback)

The Bhagavad - Gītā, translated with a commentary by R. C. Zaehner, Oxford University Press, London 1973 (paperback)

Caraka - Samhitā, Agniveśa's treatise refined and annotated by Caraka and redacted by Dṛḍhabala (text with English translation), edited and translated by Priyavrat Sharma, Jaikrishnadas Ayurveda Series 36, Chaukhamba Orientalia, Varanasi 1981, 83 (2volumes)

Haṭhayogapradīpikā of Svātmārāma with the commentary Jyotsnā of Brahmānanda and English translation by Srinivas Iyangar, Adyar Library and Research Centre, Madras 1972

Haṭhayogapradīpikā of Svātmārāma, edited by Swami Digambarji and Raghunathashastri Kokaje, K. S. M. Y. M. Samiti, Lonavla 1970

The Hatha Yoga Pradipika, translated into English by Pancham Sinh, Oriental Books Reprint Corporation, Munshiram Manoharlal Publishers Pvt. Ltd., New Delhi

The Vyākaraṇa - Mahābhāṣya of Patañjali, edited by Franz Kielhorn, revised by K. V. Abhyankar, Bhandarkar Oriental Research Institute, Poona 1962 - 72 (3 volumes, Sanskrit only)

Ancient Indian Tradition and Mythology, translated by a board of Scholars, Motilal Banarsidass, Delhi 1970 - (29 volumes of translations of Purāṇas have appeared so far)

Classical Hindu Mythology: A reader in the Sanskrit Purāṇas, edited and translated by Cornelia Dimmitt and J. A. B. van Buitenen, Temple University Press, Philadelphia 1978

The Rāmāyana of Vālmīki, edited by Robert P. Goldman, Princeton University Press, Princeton 1984 - (a multi-volume translation project of which 2 volumes have appeared)

The Ramayana of Valmiki, translated by Hari Prasad Shastri, Shanti Sadan,

London 1952 – 9 (3 volumes)

Ramayana, William Buck (not a translation, but a re-telling of the Ramayana in modern English), New American Library, New York 1978 (paperback)

The Siva Samhita, translated into English by Rai Bahadur Srisa Chandra Vasu, Oriental Books Reprint Corporation, Munshiram Manoharlal Publishers Pvt. Ltd., New Delhi

The Thirteen Principal Upanishads, translated by Robert Ernest Hume, Oxford University Press, London 1971 (paperback)

The Principal Upaniṣads, edited and translated by S. Radhakrishnan, George Allen and Unwin Ltd, London 1953

Les Upanishad, text and French translation edited by Louis Renou, Adrien – Maisonneuve, Paris 1943 – (The Prasna Upanisad, translated by J. Bousquet, 1948, appears in this series)

Atharvaveda – Samhitā, English translation with critical and exegetical commentary and introduction, W. D. Whitney, Harvard Oriental Series, reprint in 2 volumes, Motilal Banarsidass. Delhi 1962

The Rig Veda, an Anthology, translated by Wendy Doniger O'Flaherty, Penguin, Harmondsworth 1981

Der Rig – Veda, German translation by K. F. Geldner, Harvard Oriental Series, volumes 33 – 5, Cambridge 1951 (index, volume 4 by J. Nobel, 1957)

The Hymns of the Sāmaveda, translated by R. T. H. Griffith, E. J. Lazarus, Benares 1963

The Veda of the Black Yajus School entitled Taittirīya Samhitā, Arthur Berriedale Keith, Motilal Banarsidass, Delhi 1967 (2volumes)

The Texts of the White Yajurveda, translated by R. T. H. Griffith, Varanasi 1899

The Yoga – System of Patañjali, James Haughton Woods, Harvard Oriental Series, volume 17, Cambridge 1914

Patañjali's Yoga Sutras with the commentary of Vyāsa and the gloss of Vāchaspati Misra, translated by Rāma Prasāda with an introduction by Rai Bahadur Srisa Chandra Vasu, Oriental Books Reprint Corporation, Munshiram Manoharlal Pvt. Ltd., New Delhi 1978

The Yoga Aphorisms of Patañjali, translated by Shri Purohit Swami with an introduction by W. B. Yeats, Faber and Faber, London 1987